ERICH FROMM

人はなぜ「自由」から逃走するのか

エーリヒ・フロムとともに考える

仲正昌樹 Masaki Nakamasa

1900-1980

KKベストセラーズ

人はなぜ「自由」から逃走するのか：エーリヒ・フロムとともに考える

はじめに――なぜ今、『自由からの逃走』なのか

二〇一六年のアメリカ大統領選挙でトランプ氏が当選した前後から、いくつかの国で独裁的で排外主義的な指導者が登場し、ポピュリズム的な政党の台頭が目立つようになった。それに伴って、第二次世界大戦勃発前のように全体主義の脅威が高まっているのではないか、という言説もジャーナリズムを中心に広まった。ＫＫベストセラーズの編集者の勧めで本書の執筆に取りかかったのは二〇一七年の秋頃であるが、当時は、アーレントやオーウェル、オルテガ、フロムなどの古典的な全体主義論への関心が再び高まりつつあった。

エーリヒ・フロムの『自由からの逃走』は、自由に慣れた近代人が、強い権威に惹かれ、自発的に従属するようになるメカニズムを直接的に論じた著作である。フロムはプロテスタンティズムの影響の強かったドイツ語圏におけるナチズムを念頭に置いて議論を進めているが、本書を読んでいただければ分かるように、現代日本に生きる私たちの多くが日常的に経験する問題にも通じている。

そして、本書がほぼ完成した頃、新型コロナウイルス問題が深刻化し、「緊急事態宣言」が発令された。新型インフルエンザ等対策特別措置法に基づく、今回の「緊急事態宣言」自体は、ワイマール時代のドイツでナチスが政権奪取のために利用した、大統領緊急令による「非常状態」や、自民党の改憲案にある国家緊急事態条項などに比べると、かなり限定的なもので、ただちに全体主義に繋がる、というものではない。

しかし、「宣言」以上に、全体主義的な雰囲気を醸し出したのは、宣言の早期発令、更には東京をはじめとする主要都市の〝ロックダウン〟を求める声がマスコミやツイッターで盛り上がったことだ。普段は、政府権力の拡大に反対するリベラル系の人たちが、国粋主義的な右派と一緒になって、自粛しないで遊び歩いている輩を懲らしめるには、強い強制措置が必要と声高に叫び始めた。

右と左が合流した世論が生み出され、それ以外の意見を非人間的なものとして排除しようとする風潮が生まれ、異論が言えなくなることこそが、全体主義の前兆だ、と思う。

宣言が解除されてみると、政策決定の遅さや公務員の定年延長問題で現政権の求心力はかえって弱まり、すぐに全体主義的な政権が登場しそうな雰囲気ではなくなった。反面、どうしたら正解か分からない不安な状況で、決断力を発揮してみんなを引っ張っていってくれる、「英雄」を待望する雰囲気は強まっている。

〝自粛〟要請がなかなか解除されず、家に閉じこもって、ネットだけで「世界」と繋がっている状態が続いているせいで、外の世界でハルマゲドンの戦いが起こっているような気分になりやすいのかもしれない。

我田引水的な感じがしないでもないが、こういう時だからこそ、大衆社会に生きる人が、個人の自由よりも、理性を超えた「権威」を求める原因を探究したフロムの著作は読まれるべきである。

目次

序章

全体主義を支える「自由からの逃走」

全体主義とは何か

「全体主義」と呼ばれる政治的現象がある。何となく、独裁体制と同じだと思っている人が多いが、同じではない。一人に権力が集中しているかどうかではなく、その国家あるいは社会を構成するほぼ全員が一つの思想を強く信奉し、同じ生活・行動パターンになっているかどうか、少なくとも、そういう状態を目指した体制づくりが進んでいるかどうかが、「全体主義」であるか否かの基準である。社会「全体」が均質化して、統制が取れているということだ。

かつては、旧ソ連・東欧の社会主義諸国や経済開放が進む前の中国がその典型とされていた。現在では、「全体主義」と聞いてすぐに思い浮かぶのは、北朝鮮くらいだろう。

歴史的に存在した「全体主義」の典型が、ナチス時代のドイツである。ヒトラーの掲げた、ドイツ民族が進化の頂点に位置し、世界を指導する立場にあるという世界観に、大衆は魅せられ、ナチス政権を自発的に支えた。そして、六百万人に及ぶとされるユダヤ人等の大量虐殺が実行された。

ヒトラーと少数の幹部たちの独断的な命令だけで、ヨーロッパ各地に――それぞれの国

1933年から1945年までドイツ国はナチズムの思想が強制される全体主義国家になった。

に様々な形で溶け込みながら――居住していたそれだけ多くの人を数年間で計画的に殺害するのは不可能であり、ドイツ民族の大多数の自発的協力があったとされている。

しかし、どうしてドイツ民族の多数が、そんな前代未聞の残虐なことを計画する体制に同調したのか。どうしてヒトラーは選挙で支持され、政権を獲得できたのか。

全体主義体制は、ユダヤ人とか資本家とか自らに敵対する（と見なす）勢力を、住民の力を借りて暴力的に排除しようとする。裏を返せば、個人の自由な思考と活動を認めないで、「全体」に合わせることを求める。

一九三〇年代のドイツのように、一定の期間、自由民主主義体制を経験し、自由な個人として生きることの喜びを知った国の国民が、特定の理想に同化することを求める体制をどうして支持したのか。

ナチスにしろ、スターリン主義時代のソ連にしろ、大抵の全体主義体制の政権は、「全体と同化してこそ真の個人の自由が実現する」、という言い方をする。その言い方に納得する人もいるだろうが、賛同しない人にとっては、言葉の上でのまやかしにしか聞こえない。他人の教えに全面的に従って生きていながら、どうして「自由」だと思えるのか。

「全体主義」が生まれてきた原因については様々な分析がある。

経済学者のハイエク(一八九九―一九九二)は、経済を中心に社会全体を計画的に管理することが合理的だとする設計主義が蔓延したことを主要な原因と見なしている。

マルクス主義系の理論家たちは、破綻寸前の状態に陥り、自由主義的な手法では人々の不満を抑えきれなくなった資本主義が、強権的に支配するために生み出した体制であると説明する。

政治哲学者のハンナ・アーレント(一九〇六―七五)は、一九世紀初頭からの西欧の歴史、ナショナリズムによる国家形成のプロセスの歪みが、人々の同調的なメンタリティをつくり出したと分析する。

経営学者で法学者でもあるピーター・ドラッカー（一九〇九－二〇〇五）は、人々が目指すべき人間像の破壊に注目する。

それら諸説の中で、全体主義を支持した諸個人がどうしてわざわざ、自分を不自由にするような体制を支持したのか、個人の心理的な側面に焦点を当てた最も説得力がある説明は、エーリヒ・フロム（一九〇〇－八〇）のそれだろう。

ドイツ系ユダヤ人で、フロイトに始まる精神分析の理論を社会的性格の分析に応用する研究に従事していたが、ナチス政権成立後、アメリカに亡命し、戦後はアメリカやメキシコで研究活動を続けた。「愛」「悪」「神」「自由」「ヒューマニズム」「社会主義」「革命」など、人間の生き方の根本に関わる重要なテーマに関する多くの著作を残し、政治的・宗派的な立場の違いを超えて様々な立場の人に影響を与えてきたが、最も大きなインパクトがあったのは、彼が大戦中に執筆した『自由から

エーリヒ・フロム（社会心理学者、精神分析家、哲学者。他著作に『愛するということ』がある）

の逃走』(一九四二)である。

この著作は、そのタイトルが示しているとおり、近代世界において「自由」を与えられた諸個人が、自由に生きることに伴う重圧、不安に耐えかねて、自らが自由を放棄するに至った過程を社会心理学・社会史的に描き出している。『自由からの逃走』はかつて、少なくとも私が学生だった三十数年前には、現状批判的な社会科学を学ぶ者が当然読んでおくべき基本図書だった。

現在ではそれほど読まれなくなっており、大学の生協の書籍売り場でもあまり目にしなくなった。学生の読書離れ、特に重苦しいテーマに関する学術書を敬遠する一般的な傾向が読まれなくなった主な原因だろうが、それに加えて、「自由の重荷から逃げる」ということが、現代の若者にとっては当たり前になりすぎて、強い関心を持ちにくくなった、ということもあるような気がする。

それまで、学校教育で正解を探すことにだけ集中していた人間に、「これからは自由にやってよいが、どんなことが起ころうと、君の人生だから、君のせいだ。誰も助けられない」、と言い渡されると、不安になる。誰か先の見通しがある、頼れる人が、あらゆることに関して自分のやるべきこと、これだけやっていたら安心だということを示してくれたらいい、と思う。それは別に不思議なことではない。

ただ、そうやって自由に伴う責任を回避したいと思うからといって、全体主義的な指導者、場合によっては特定の集団の抹殺を命じるかもしれない、善悪を超越した指導者に全てを委ねたいとまで思う若者はあまりいないだろう。

若者の漠然とした、自由に対する不安と、全体主義を支える「自由からの逃走」の間にはギャップがあるように思える。両者の間には、何かのなかなか越えられない大きな溝があるのか、それとも単なる程度の差でしかないのか。その肝心なことを考えるうえで、この方面での古典である『自由からの逃走』を読むことには大きな意味があるように思われる。

本書では、『自由からの逃走』の議論の流れに即して、全体主義を可能にした歴史的・社会的条件を確認していく。フロム自身の記述では明示されていない、あるいは省略されていると思われる、思想的・社会史的な背景について、筆者の視点から適宜補足し、アーレントやハイエクなど、他の全体主義論との比較も試みる——その意味で、本書は純粋な解説書ではない。そうやって、大衆社会の住人が「自由」から逃走し始め、その一部が全体主義を支持するに至ったプロセスを再構成したうえで、どうして「自由」は重荷になるのか、あらためて考えてみたい。

第一章

「自由の代償」とは何か

自由と服従

『自由からの逃走』の本文は、「自由」をめぐる西欧の歴史を簡単に振り返るところから始まっている。

近代のヨーロッパおよびアメリカの歴史は、ひとびとをしばりつけていた政治的・経済的・精神的な枷《かせ》から、自由を獲得しようとする努力に集中されている。自由を求める戦いは、抑圧されたひとびとによって戦われた。かれらは守るべき特権をもっているものに対抗して、新しい自由を求めた。そしてある階級が支配からの自由を求めて自分自身のために戦ったとき、かれらは人間の自由そのもののために戦っているかのように信じていた。またこのようにして、それは抑圧されているすべてのひとびとのうちに根ざしている自由への理想や憧れに訴えることができたのである（日高六郎訳『自由からの逃走』東京創元社、一九六五年、一〇頁：以下同書からの引用に際しては、（）内で邦訳の頁数のみを記すことにする。本書の議論の流れに即して適宜改訳するが、いちいち断らないことにする）。

ここから読み取れるように、フロムは、人間には他者による拘束から自由になろうとする傾向があり、人類の歴史は、抑圧から自由になろうとする人々の戦いの歴史であったと見ている。

実際に戦うのはごく一部の人であり、その人たちは自分の自由のためだけに戦っているのだとしても、自由になりたいという潜在的な憧れを抱く他の人たちの願望を喚起し、彼らの期待を担うことになったので、全ての人の自由のための戦いとして認知されるようになった。

自由のための戦いは次第に拡大し、西欧近代を特徴付ける経済的自由主義、政治的民主主義、宗教的自律、生活における個人主義などが生まれてきた。これは、別にフロム特有の歴史観ではなくて、進歩的な知識人の大半に共有されている見方であろう。

二〇世紀に入って、「自由」のための戦いは、最終的に決着しつつあるかのように思われた。しかし、第一次世界大戦（一九一四―一八）が終わって、しばらく経ってから雲行きがおかしくなってきた、とフロムは指摘する。

世界史の教科書的なことを言っておくと、この大戦は、英国、フランス、アメリカなど、先進的な自由主義諸国と、国王（皇帝）を中心とする官僚体制によって統治するドイツ、オーストリア、オスマン・トルコの間の戦いであり、後者が敗れて、ドイツ等では自由主義な体制が樹立された。多民族を支配する帝国であったオーストリアやオスマン・トルコの解体で、多くの民族が自立し、自前の国家を持つようになった。一応英仏の陣営であったが、皇帝による専制支配が行われていたロシアでは大戦中に革命が起こり、労働者や農民を基盤とする社会主義政権が成立した。大戦によって、「自由」への波が世界化したといえる。

それなのに、どういう逆転が起こったのか？

〈第一次世界大戦〉は最後の戦いであり、その決着は自由のための最終の勝利であると、多くのひとびとは考えていた。現存のデモクラシーはみたところ強化され、また古い君主政治に新しいデモクラシーがかわった。しかしわずか数年たつうちに、ひとびとが数世紀の戦いでかちえたと信じている一切のものを否定するような、新しいシステムが出現した。人間のすべての社会的個人的生活を、たくみに支配するようになったこのシステムの本質は、ごく少数のひとびとは別として、すべてのひとびとが、自分たちの側からコントロールできない権威へ服従することになった（一一頁）。

ここでフロムが「新しいシステム」と言っているのは、ムッソリーニ（一八八三―一九四五）が率いるイタリアのファシスト体制と、ヒトラー（一八八九―一九四五）の率いるドイツのナチス体制である。

ファシスト党の民兵組織である黒シャツ隊によるクーデターを機にムッソリーニが政権を獲得したのが一九二二年、ヒトラーが他の保守・国家主義の勢力の協力を得て政権を獲得したのが一九三三年である。彼らが率いる運動は、従来の政治に不満を抱く人たちの強い支持を得て、既存の統治システムを解体し、指導者の意志と権威の下で一元的に支配する体制を打ち立てた。ムッソリーニの称号は〈Duce〉、ヒトラーのそれは〈Führer〉である。いずれも「指導者」という意味である。

ベニート・ムッソリーニ（イタリアの政治家、軍人、教師。国家ファシスト党の一党独裁制を確立した）

近代国家は、自由民主主義と、立法・司法・行政の三権分立、法の支配などの仕組みによって、人々の意志が可能な限り権力の在り方に反映され、かつ、たとえ人民の意志に基づいたものであったとしても、その権力が無制限に大きくならないよう抑制することを特徴としていた。

ドイツとイタリアの「新しいシステム」は、そうした制約を取り払い、強い「指導者」の意志によって一元的に統治されるようにした。加えて、近代においては、国家の統治の直接的な対象となる法や政治の領域（公的領域）と、経済活動や私生活の領域（私的領域）を明確に区分し、国家は後者に可能な限り干渉しないことを原則としていた。そうしないと、個人や企業、各種団体の自由な活動が阻害されると考えられるからである。

それに対して、両国の新システムでは、企業だけでなく、職能組合や地域的共同体、家族までも一元的な管理体制に組み込まれ、各人の価値観・規範意識や生活習慣、人間関係まで、「指導者」のそれと一致するよう統制されることになった。

簡単に言えば、社会全体が蟻や蜂のコロニーのように、あるいは一つの動物の身体のように、指導者を中心に一体となって生きる状態が理想とされ、実践されたのである――ソ連の社会主義もスターリン時代にはそれと似たような様相を呈したが、社会主義の場合は少なくとも建前としては、人々が個性を発揮しながら平等に暮らせる社会の実現を標榜していた。

他の西欧諸国の人々は当初、これは本質的にヒトラーやムッソリーニとその側近たちの狂気の問題であり、その他の人々は巻き込まれただけだとか、ドイツ人やイタリア人は民主主義に成熟していなかっただけだと考え、納得しようとした。人々は、力に脅かされて、無気力な存在になり、仕方なく従っているだけなので、そんな体制は長く持たないだろうと考えた。

しかし、何年か経つうちに、その考えは誤っていることが判明した。特にドイツの新システムは、短時間に再軍備を成し遂げ、大規模な公共投資と労働力の動員によって不況も克服し、オーストリアやチェコスロバキアを併合した。一九三九年にはポーランドへの侵攻をきっかけに第二次世界大戦に突入し、短期間でオランダ、ベルギーを降伏させ、フランスの防衛線も突破してパリを攻略し（電撃戦）、フランスの大部分を占領下に置いた。フロムのこの著作が刊行された頃には、ソ連を除くヨーロッパ大陸の大部分が、ドイツ・イタリア（枢軸国）の勢力下に置かれた。

アドルフ・ヒトラー（国家社会主義ドイツ労働者党の指導者、国家元首）

そして、ユダヤ人を他の市民たちから隔離し、社会全体を動員して彼らをヨーロッパから排除するための組織的迫害を実行した。一般国民が積極的に支え続けたからこそ、それだけ強固な支配を打ち立てることができたのだ、と見るべきだろう。

私たちはドイツの数百万の人が、彼らの父祖たちが自由のために戦ったのと同じような熱心さで、自由を捨ててしまったこと、自由を求めるかわりに、自由から逃れる道を探したこと、他の数百万人は無関心であり、自由を、そのために戦い、死ぬほどの価値あるものとは信じていなかったこと、などを認めざるをえなくなった。また私たちは、デモクラシーの危機に気がついた。人間の自由の敵が、どのような象徴を掲げようと、それはたいした問題ではない（一二頁）。

ファシズム（全体主義）――フロムは、「ファシズム」という表現を使っている――は、戦間期の特定の政治・経済情勢下で生じた一時的な現象ではなく、また、ドイツ人やイタリア人などの民族的な特性に起因するローカルな現象でもなく、西欧近代の根底で、人々の心の内で密かに進行しつつあった一つの大きな動きの現れである。

それは、「自由」を求めて戦うよう人々を動かしてきた強い衝動への反動のように思える、暗い情念である。そうフロムは見る。そう考えたのは、フロムだけではない。プラグマティズムの哲学者として有名なデューイ（一八五九－一九五二）など、多くの知識人が同じことを指摘している。

そうした観点からフロムは、人々の内には「自由」への願望だけでなく、それと同じくらい強烈な「服従 submission」への願望があるのではないかという仮説を立てる。彼は「精神分析」の理論に即して、西欧人の無意識に潜む、「自由」を強く求めながら、その反動として「服従」への欲望をも強めていく、矛盾したメカニズムを明らかにすることを試みた。

ジョン・デューイ（プラグマティズムを代表する思想家。主な著作に『経験と教育』がある）

フロイトとフロム

フロムが分析の道具として用いた「精神分析」について少しだけ説明しておこう。「精神分析」は、オーストリアの精神医学者フロイト（一八五六－一九三九）

による神経症などの治療実践から発展した。ヒステリーなどの神経症で、自らの身体や意志を制御できない状態になっている人々をどのように治療するかというのは、神経学や心理学の領域で以前から研究されていた。フランスの神経科医のシャルコー（一八二五－九三）、リエボー（一八二三－一九〇四）、ベルネーム（一八四〇－一九一九）等は、催眠術などで患者に暗示を与えることで、症状を取り除くことに一定の成果を収めていた。

それらの成果や理論を学び、自らも治療に取り組んだフロイトは、患者の意識の底に、本人も気付いていない、あるいは気付くことができない「無意識」の領域があり、そこには、社会的に許容されにくい様々な欲望が抑圧された形で潜んでいるという仮定を立てた。いくつかの症例から、それらの欲望に性的なもの、特に近親相姦的なものが潜んでいるのではないかと考えた。それが、有名な「エディプス・コンプレックス」である。

エディプスというのは、スフィンクスの謎を解いてテーバイの町を救った伝説の英雄エディプスをめぐる不吉な予言に由来する。「自分の父を殺して母と結ばれることになる」、と予言されていたエディプスは、育ての両親を実の両親と信じて成長したが、実の子ではないとの噂を聞いて彼らのもとを去り、本当の生まれ故郷であるテーバイにやって来た時、その地の王であった実の父とつまらないことで喧嘩になり、父であるとも王であるとも知らないまま、殺してしまう。その後スフィンクスの謎を解いて、その報酬として、亡き王の妃であった実の母と結婚することになる。その真相が明らかになり、エディプスは自分の目を潰し、実の母との間に生まれた娘＝妹に手を引かれて、放浪の旅に出る。

フロイトはこの神話を、父を殺して母と交わろうとする、（特に男子の）幼児の近親相姦の欲望を象徴するものと解釈した。無論、近親相姦への欲望を他人の目にもはっきりと分かる形で抱く人は稀であろう。そこでフロイトは、「父―母―子」の三者関係を、以下のように抽象化した形で定式化し、説得力を持たせる。

ジークムント・フロイト（精神科医、精神分析の創始者。主な著作に『精神分析入門』がある）

物心つく前の幼児は、「母」と常に一緒にいる。母胎の中にあった時は、文字どおり、心身共に一体となっている。哲学的に表現すれば、主／客、自／他未分化の状態にある、と言える。「母」の身体と自らの身体の間に明確な境界線はない。しかし物心がついてくると、「母」は自分のものではなく、「父」のものであることが分かってくる。「父」は、「子」が「母」と密着し続けることを禁じる（＝

自立を強いる）。そして、「母」から分離した「子」自身も、「父」の支配下に置かれる。「子」は「父」に対して嫉妬し憎むが、同時に、「母」（女性）を自分のものにしている「父」の力に憧れる。そして、「父」に取って代わるべく、「父」をモデルに自己形成するようになる。その際に、「父」が代表する社会の規範も身に付けていく。「父」のように自立した主体になった〝子〟は、「母」の代わりになる存在と結ばれ、自らも「父」となる。

このように、「子」の「母」に対する「欲望」を、幸福な母子一体の状態、最終的には、母胎を回復しようとする原初回帰の欲望、「父」を殺そうとする「欲望」を、物理的あるいは社会的な「力」を持つ者への両義的な感情の表れとして、抽象化して捉え直せば、「エディプス・コンプレックス」に対する見方がかなり違ってくる。多くの人にとって納得がいく、一般的に観察可能な現象と言ってもよかろう。息子ではなく、娘を想定しても、「父」と「母」との間にほぼ同じような関係が成り立つと言えそうだ。

更に言えば、「母」を、人間の生命の母胎・原点である「自然」の象徴、「父」を、大人として自立した人間が活動する場である「社会」の象徴と考えると、「エディプス・コンプレックス」は人類の精神の発展の基本的パターンを示す寓意であり、それほど特異な議論ではなさそうだ。

フロイトの議論のユニークさは、「自然→孤立→社会」のプロセスが、個人の身体的な成長過程に伴うリビドー（性衝動）の分布・文化と不可分に結び付いており、そこで生じた不具合が、無意識の層に抑圧されたままになると、各種の神経症のような形で現れてくるメカニズムを示したことである。

こうしたエディプス的な前提の下で考えると、人間には、「権威」から自由になろうとする「欲望」と、「権威」に憧れ、それと同化しようとする「欲望」があって、両者のバランスによって、一人の人間の「自我」が成り立っていると言えそうだ。

フロムは、「エディプス・コンプレックス」仮説をそのままには受け入れていないが、かつて主客未分化状態にあった人間が、ある時点でそこから放逐され、社会的な規範や権威に順応することで、自由に振る舞う（ことが許される）主体になることや、幼児の母親に対する愛が近親相姦的な性質を帯びていることなど、基本的な発想は継承している。

人間の言動を、本人の意志を超えて操り、時には身体的な変容さえもたらす未知の力を明らかにしていく精神分析は、科学的な実証性に拘る精神医学者や心理学者から強く反発されたが、一定の治療実績を挙げたことから、次第に専門家からも受け入れられるようになり、二〇世紀に入ると、文化人類学や神話学、芸術・文学の創作・批評など、他分野にも応用されるようになった。

第一次世界大戦の少し前くらいから、劣等感を重視するアドラー（一八七〇－一九三七）や、無意識の根底には神話的な集合的無意識があるとするユング（一八七五－一九六一）が、フロイトのもとを去って、新しい深層心理学の流派を形成する。フロイト派の中でも、フロイトに忠実な人と、エディプス・コンプレックスをはじめとする核心的な理論を受け入れない人がいた。

人間の人格形成の成功と失敗のカギが、「無意識」の次元にある、というフロイトの発想が広く浸透し、市民権を得たため、「無意識」の存在を前提としながら、フロイトとは異なるアプローチを試みる人も出てきた、と言うことができる。

そうした状況の中で、元々社会学者であったフロムは、フロイトの理論を学び、自らも精神分析の治療実践に携わる。フロムは、マルクス主義的な傾向のユダヤ系の学者を中心とする社会科学の研究グループであるフランクフルト大学の社会研究所のメンバーになり、フロイトの理論を、経験的な社会心理学の研究に援用するようになる。

彼の関心は、各人のリビドーがいかにして既存の社会・経済体制に順応するようになるのか、人々に現在の社会を自然なものとして受け入れさせるイデオロギーは、人々の無意識の中でどのように発生し、力を及ぼすようになるかということに向けられた。

フロイトをマルクス主義に結び付けたフロイト左派の間では、性的抑圧からの全面解放を主張したライヒ（一八九七－一九五七）や大量消費社会になった西側資本主義国における革命の可能性を論じたマルクーゼ（一八九八―一九七九）のような、ラディカルな立場が目立ったが、フロムは社会民主主義的な穏健な変革を支持した。

また、無意識レベルで働く破壊衝動に注目し、人間の本性を信用しなかったフロイト自身やフロイト左派の見方に抗して、人間の内なる「愛」の可能性を信じ、宗教的なテクストを参照しながら、神学的にさえ見える見解を呈示することもある。

アルフレッド・アドラー（精神科医、心理学者、個人心理学を創始）

フロイトが、各人の性格形成に決定的な影響を与える無意識のプロセスが生物学的要因によって規定されることを強調し、マルクス主義が経済的な生産体制によって人々の意識が規定されると主張するのに対し、フロムは、人間の「社会的性格」が人々の自発的な相互作用によって変化し得ることを力説する。

フロムが、ラディカルな左派でなく、精神分析に関心を持っているわけでもない、むしろ宗教やスピリチュアルなものに惹かれる人に広く読まれる理由である。

『自由からの逃走』でフロムは、フロイトやその弟子たちが社会の仕組みに関して素朴なイメージしか抱いていなかったため、精神分析の社会問題への応用に失敗していると批判している反面、人間に潜む「非合理的で無意識的な諸力」を暴き出しただけでなく、非合理的な現象も一定の法則に従っており、それゆえ合理的に解釈可能であることを明らかにしたことを高く評価している。

彼はフロイトの理論に適宜修正を加えながら、人間の無意識が自らの生活条件にどのように適応しようとするのか、そして、その過程において、破壊的なサディズム的衝動、服従への傾向などの、非合理的に見える傾向が生じてくるメカニズムを説明することを試みる。

人間の社会史は、自然界と一体になった状態から抜け出し、自らを取り巻く自然やひとびとから分離した存在としての自己を自覚する時に始まった。しかしこの自覚は、歴史の長い期間にわたって非常にぼんやりしていた。個人は依然として、自分が抜け出てきた自然的・社会的世界と密接に結ばれていた。部分的には分離した存在としての自覚を一方に持ちながら、彼はまた、自らの周囲の世界の一部であるとも感じていた。個人がその原初の絆から次第に脱出していく過程——それは「個性化」の過程と言うこともできる――は、宗教改革から現代に至る数世紀の間に、その頂点に達したように見える。／個人の生涯にもこれと同じ過程が見られる。子供は生まれると、もはや母親と一体ではなくなり、母親から分離した一個の生物学的存在となる。しかしこの生物学的分離は、個人的な人間存在の始まりではあるが、子供は依然としてかなりの期間、機能的に母親と一体になっている（三四頁）。

ここから読み取れるように、フロムは、フロイトの「自我―リビドー」論の出発点でもある、子の母からの分離のプロセスに注目しているが、それと、社会の中で「個人」が重視されるようになっていく歴史的なプロセスが、並行的な関係にあると見ているわけである。子供の成長のプロセスと同じようなプロセスを、人類の歴史が繰り返している、つまり、最初は、各人が「個」としての自覚をはっきり持たず、自然の成り行きや（いつの間にか成立した）社会の掟にただ従順に従っているだけの原初の共同体から、自由な個人たちの自発的な結合をベースとする社会へと発展していく、ということである。

ここで肝心なのは、「頂点に達したように見える」ということである。個人の自立や個性化（individuation）に限界があり、ある一定の年齢に達すると、身体的にも精神的にも衰え始め、次第に一人で生きられなくなる。それと一見似たようなことが、起こっているのではないか、とフロムは見ているわけである。

ルター（一四八三―一五四六）による「宗教改革」が、どういう意味で「頂点」であったと言えるのかについては、次章で詳しく検討することとして、ここではとりあえず、フロムが「精神分析」的な人間観を背景として、近代において人類が「大人になる」プロセスが進行し、それがどこかで行き詰まってしまい、逆行するかのような現象が生じていると見ていることを確認しておこう。

孤独と服従

フロムは、個々の子供を母親に結び付けている絆と、未開社会のメンバーをその氏族や自然に結び付けている絆や、中世の人間を教会やその社会的階級に結び付けていた絆のような社会的な絆の双方を、「第一次的絆 primary ties」と呼ぶ。第一次的絆は、個人化のプロセスの帰結として個人が完全に自立する以前に存在する絆である。この絆に繋がれている間は自由ではないが、絆のおかげで帰属感と安定感が与えられる。

子供は成長していくにつれ、第一次的絆を少しずつ断ち切り、自由と独立を求めるようになる。絆から解き放たれた子供は、自分が親などの身近な他者たちから引き離されて孤独であることに気付き、無力感や不安に苛まれることになる。外界（自然界＋社会）は実際、様々な危険に満ちている。これは、社会全体が個人の自立を前提にするようになる時に、各人の身に起こることである。絆から解放されたばかりの人は、自らの判断で未知の危険に対処しなければならない。

成長するにつれて自らの能力の限界と外界の危険の深刻さを理解するようになった個人は、全てを自分だけで考えて実行するのではなく、新しい「絆」をつくって、他者の力を借りながら生きることを志向するようになる。

無論、その「絆」は「第一次的絆」と全く同じものではあり得ない。子供は次第に大きくなり、親は年老い、弱っていくので、赤子のような状態には戻れない。文字どおり、母胎と同じ状態に戻るのは最初から不可能だと分かっている。

個人が、（第二の母胎ともいうべき）共同体から自立し、自由に活動し始めると、共同体を成り立たしめていた絆は次第に緩んでいき、人々を慣習や掟に強く拘束し、統率することはできなくなる。それに伴って、各人に十分な保護を提供することもできなくなる。近代化の過程で、伝統的な村落共同体が次第に解体し、実質を失っていたというのは、様々な歴史書に書かれていることである。

だとしても、一人で生きることへの不安があまりに高まってくると、外界に完全に没入したいという衝動が個人の内に生じてくる。それは、具体的には、親や共同体の掟をつくった神のように、自分を常に正しく導き、安心を与えてくれる「権威 authority」への「服従 submission」という形を取る。

「権威」に完全に「服従」し、全てを委ねてしまえば、孤独感や無力感を克服することはできるが、その代償として、自分自身の強さと人格としての自律性を失うことになる。その相手に生殺与奪の権利を握られ、自分の意志で行動することはできなくなる。というより、権威の意志とは異なる〝自分の意志〟を否定しなければならない。そうでないと、本当の意味での「服従」ではないし、自らの在り方に対する不安は解消しない。

ただ、それは自分が自分でなくなり、機械の部品か他人の身体のパーツのようになってしまうことを意味する。せっかく個として確立した自分が消えてしまう。そのことを本人も無意識では分かっている。それが、更なる不安の原因となる。

一方で、フロムは、そうした「服従」が孤独と不安を回避する唯一の方法ではないとも言っている。矛盾を避ける唯一の生産的な方法は、「人間や自然に対する自発的な関係」である、と言う。

つまり、自分を取り巻く既存の人間関係に対して、全く無防備な受動的な態度で身を委ねていくのではなく、自発的に自分が獲得した、あるいは獲得しようとしている自由を活かせるような関係性をつくり出す、ということである。

自分の個性に合った居場所をつくり出せれば、それに越したことはない。しかし、そういう関係性をつくり出せる相手と場を見いだすことは容易ではない。見つけたと直感しても、いざ一緒に何かを始めようとすると、関係がぎくしゃくし始めたり、自分たちが一緒に追いかけようとしている目的が実現不可能であることが判明したりする。居場所を見つけられそうだという期待が何度も裏切られるうちに、諦めの気持ちが強くなる。そうなると、孤立を回避するためには、たとえ自分の個性を否定することになっても、何か既成の権威に「服従」せざるを得ないという心境になる。個性化が進めば進むほど、「自発的活動」と「服従」の間の葛藤が大きくなる。

フロムはこのジレンマの原因は、「分離と個性化」と「自我の成長」の速度のズレにあると指摘する。子供の分離と個性化は、身体の成長に伴って否応なく進行する。自我の成長は、家族との関係をはじめ社会的な諸条件によって制約を受け、各人は思ったように自分の能力を発揮できない。他者に自分を理解してもらい、自分の居場所を自力で確保することができず、不安だけが強まっていく、ということになりがちだ。

人類全体の歴史的発展についても同様なことが言える。共同体からの個人の分離はいったん始まると、ダムの決壊が始まると止まらないように、どんどん進行していくが、新しい自由な関係をつくり出すための各人の能力が高まっていくとは限らないし、それに必要な機会や資源が増加するとは限らない。自然的・社会的な環境要因によって強い制約を受け、あまり自発性を発揮できないかもしれない。「分離と個性化」だけが進み、各人の自我がそれに見合うだけの能力を獲得していなかったら、一度獲得した「自由」が次第に重荷になり、たとえ不自由になっても、〝元の状態〟に回帰したいという欲求が強まってくる。

二つの自由

「自由」という言葉は、西洋の思想史では様々な意味で使われてきた。単純に他人による物理的拘束を受けていない状態を指すこともあれば、他人から干渉されない状態、あるいは干渉に抵抗する権利が与えられている状態、行動の選択肢が複数ある状態、自分で自分の生き方を決められること、自分で立てた行動の方針によって自己を律していること……。

それらの定義の中で特に重視されるのは、「～からの自由」という形を取る消極的自由と、「～への自由」という形を取る積極的自由の区別である。

前者は、何らかの物理的・人的な制約があるということを前提にして、そこから解放されることである。ネガティヴなものからの離脱という意味で、消極的である。

「～への自由」というのは、自らの目的や目標を追求できることを意味する。もう少し具体的に言うと、職業、教養、家庭生活、趣味、人間関係等について自らが目指すべきゴールを設定し、それの実現に向かって行動できる内外の環境が整っていることである。身体的ハンディキャップや社会的差別、周囲からのネガティヴな評価に妨げられることなく、また目標追求に必要な金銭や教育・訓練、交通手段などの資源が備わっていることなどが、構成要素になるだろう。より望ましい状態への上昇を含意しているという意味で、積極的である。

アイザイア・バーリン（政治哲学者。著作『自由論』では、自由という概念における議論に大きな影響を与えた）

この二つのいずれが、「自由」の本質的要素かをめぐって、近代政治哲学では様々な議論が展開されてきた。ラトビア生まれの英国の政治哲学者アイザイア・バーリン（一九〇九－九七）は講演「二つの自由概念」（一九五九）で、プラトン（前四二七－前三四七）以降の代表的な政治思想家の「自由」概念を、この二つの系統に分けて分析したうえで、「自由」を核とする政治制度を構想する際には、「消極的自由」概念に基づくべきだと主張する。

バーリンに言わせると、「積極的自由」は政治的に悪用される危険が高い。人々が〝自らの真の理想を認識している〟こと、そして、それを〝実現するための手段が与えられていること〟が、〝真の自由〟であり、それを可能にするのが政府の使命だとすると、政府はそのために様々な機能を果たさねばならない。

例えば、資本主義社会では、自分の身体的な労働しか売るものがない労働者は、資本家に雇われるしか選択の余地がない。自発的な連帯に基づいて平等な立場で労働をすることが人々にとっての〝真の自由〟だとすると、それを妨害する資本主義社会を守る政府を打倒し、資本主義的な生産体制を廃棄しなければならない。また、労働者が工場で機械の部品のように単純労働に従事させられているうちに、自発性を失い、何が自分の〝真の自由〟か分からなくなっている、いわゆる「疎外」された状態にあるとすれば、彼らが〝真の自己〟に目覚めるよう覚醒させてやる必要がある。

自らが悲惨な生活を送っているにもかかわらず、伝統的な共同体や資本主義社会のほうが居心地がよいと感じて固執するようであれば、重症なので、かなりの荒療治が必要になる。

スターリン主義時代のソ連は、人民の〝真の自己〟にとっての自由を実現すべく強権を発動し、人民全体の覚醒を妨害する者たちを大量虐殺した。ナチスの場合は、敗戦のショックで自信を喪失しているドイツ民族の〝真の自己〟を覚醒させ、多額の賠償金を押し付け、ドイツ固有の領土を奪っている連合国の軛《くびき》から〝解放〟する、という意味での〝自由〟を追求したと言える。

一般に、市場での経済活動の自由を重視する思想家は、「消極的自由」論者である。近代自由主義の政治哲学の古典とされる『自由論』（一八五九）の著者であり、古典派経済学の集大成者ともされるジョン・スチュアート・ミル（一八〇六―七三）は、他者による干渉を受けない私的領域の確保を、自由主義的な政治の最も重要な課題と見なした。

ジョン・スチュアート・ミル（政治哲学者、経済思想家。初期科学哲学の重要な哲学者）

市場への政府の介入に徹底的に反対し、市場の自己調整メカニズムに任せるべきと主張するハイエクは、万人が（積極的な意味で）〝自由〟になる条件を整えることを名目として、中央の当局が、経済・

社会を合理的に組織化しようとする発想こそが、全体主義の母体となると指摘した。

労働者の自由な連帯を可能にする社会民主主義的な体制を理想とするフロムは基本的には、「積極的自由」論者であるが、「積極的自由」が簡単に手に入るとは思っていない。彼は、「消極的自由」と違って、「積極的自由」は成長過程で自動的に手に入るものではないことを強調する。

> 本能によって行動が固定化される度合いが減少していき、ある限度を超える時、つまり、自然への適応がその強制的な性格を失う時、行動の様式がもはや遺伝によって与えられるメカニズムによって固定されなくなる時、人間の存在が始まる。言い換えれば、人間の存在と自由は、始めから不可分なのである。ここで言う「自由」とは「…への自由」という形を取る積極的な意味ではなく、「…からの自由」という形を取る消極的な意味のものである。それは、行動が本能的に決定されることからの自由である（四二頁）。

各人の身体が成長し、個体として親から分離されれば、あるいは、共同体を構成する各人が合理的・自立的に思考するようになるのに伴って共同体的な絆が緩んでいくと、親や共同体「からの自由」は、本人が望まなくてもある程度達成されてしまう。

それに対して、自分がなりたいものになるための「積極的自由」は、「消極的自由」とともに獲得できるわけではない。自発的な努力によって、自己をつくり上げていく過程で獲得しなければならない。自ら努力しない限り、「○○への自由」の○○は、単なる願望にとどまる。

「消極的自由」は、私たちが、他の動物とは違って、自立した個性を持つ「人間」として存在するための基礎である。「消極的自由」によって、私たちはただ本能によって動かされるままになるのではなく、自らの行動を「選択」できるようになるわけだが、それは裏を返せば、本能によって守られていない、人間の生物学的な弱さの帰結でもある。

フロムは、この「自由」による「選択」の両義性を、旧約聖書の冒頭での失楽園の物語と関係付けて説明している。堕落する前、エデンの園で生きていたアダムとエバは、神からの命令どおりに、周囲の自然と調和した状態で、幸福に生きていた。彼らは園にあるどの木からも実を取って食べていいが、「善悪を知る木」の実だけは食べることを、主である神から禁じられていた。しかし、蛇の誘惑によって二人は「善悪を知る木」の実を食べ、それによって目が開かれ、自分たちが裸であることに気付き、無花果の葉をつづり合わせて腰に巻き、大事な箇所を隠した。

ジャン＝ジャック・ルソー（政治哲学者、教育思想家。主な著作に『社会契約論』『人間不平等起源論』）

キリスト教神学では、このエピソードを、神から与えられた人間の自由意志の濫用の問題として論じられてきた。つまり、善悪のいずれを選ぶこともできる「自由」を与えられた人間は、善、つまり神の戒めを守ることを期待されていたのに、その逆を選択したがゆえに堕落したという前提で、「自由」と「善／悪」の関係について論じられてきた。

ルソー（一七一二－七八）やマルクス（一八一八－八三）などの社会思想家は、このエピソードを文字どおりに取るのではなく、人間の理性＋利己主義が十分に発達していない原初の平和な状態がいかに崩壊し、文明社会（階級社会）へ移行したかを示す寓意と見て、独自のヴァージョンの物語を作り上げた。

フロムは、「善悪を知る木」の実を食べるという行為を、「選択する自由」の象徴と見る神学の解釈を継承しながら、それが人間にとって生物学的必然であると見る。人間はいつしか、自らの行動を方向付けていた本能や両親、共同体の権威などを象徴する神の命令に背き、善悪を自らの意志で決める選択に、不可避的に直面する。この「(消極的)自由」の行使とともに理性が働き始め、人間らしい生が始まるが、それは、自然界の中に無防備に(=裸で)存在する自己を発見することでもある。その無力さへの不安が、自分は、創造主に背くという取り返しのつかない過ちを犯したのではないか、という「罪」の意識となるのである。

不安を解消するには、先に述べたように、単なる第一次的な絆からの解放にすぎない「消極的自由」を、新たな関係を構築し、他者たちとの合意・協力の下に自らの目的を実現できる、「積極的自由」へと転換していく必要がある。しかし、それは容易ではなく、全ての人がそれに成功するわけではない。社会的な環境がそれを許さないことがある。

カール・マルクス(哲学者、経済学者、革命家。社会主義および労働運動に多大な影響を与えた)

中世末期以来のヨーロッパおよびアメリカの歴史は、個人が完全に浮上する歴史である。それはルネサンスのイタリアに始まり、現在ようやく頂点に達したように思われるプロセスである。中世的世界を打ち破り、最もあからさまな束縛から人々を解放するのに、四百年以上もかかった。しかし、多くの面で個人は成長し、精神的にも感情的にも発達し、未曾有の文化的所産に参加している。ただし、「…からの自由」と「…への自由」とのズレもまた拡大した。どのような絆からも自由であるということと、自由や個性を積極的に実現する可能性の欠如のズレの結果、ヨーロッパでは、自由から新しい絆への、あるいは少なくとも完全な無関心への、パニック的な逃走が生じた（四六頁）。

中世末期以降、個人も文化もそれなりに発達を遂げてきたが、それでも「消極的自由」の急激な拡大（＝古い絆の解体）に、自己実現のための「積極的自由」（＝自発的な関係性の構築）の拡大が追い付かないという事態が生じたわけである。人々は、古い絆から解放されたという意味で自由になったものの、増大した選択の数に見合うだけの自己実現の環境は整備されていない。「積極的自由」にスムーズに移行できないがゆえに、「消極的自由」は解放感以上に不安をもたらしたのである。

資本主義的生産体制あるいは家父長的な抑圧社会を革命によって打倒しさえすれば、人間が解放され、ユートピアが実現すると信じるマルクス主義者や他のフロイト左派と違って、フロムは、「積極的自由」を実現するには、人々が自発的に連帯する社会的環境を整えねばならないと考える。その条件を探るために、彼は、二つの自由を乖離させたヨーロッパの近代史を振り返る。「消極的自由」を飛躍的に増大させた歴史的出来事として彼が注目するのは、「宗教改革」である。次章では、フロムの宗教改革論を中心に、ヨーロッパ人にとって積極的自由がいかに重荷になったか、検討していこう。

第二章

宗教改革がもたらした自由

宗教改革の意味

最初に「宗教改革」とはそもそもどういう意味を持つ歴史的出来事だったか確認しておこう。

高校の世界史の教科書でもおなじみのように、中世のヨーロッパでは、聖職者、貴族、騎士、市民、農民などの身分が固定され、個人の自由が大幅に制限されていた。特に、農奴と呼ばれる半自由民は、土地に縛り付けられ、領主の支配を離れることは許されなかった。

そうした身分制を正当化する役割を果たしていたのが、カトリック教会である。教皇を頂点とする神聖ローマ帝国の皇帝や国王、封建領主などの世俗の権力と強く結び付き、神の名において権威を与えたり、奪ったりしていた。教会自体も封建領主として広大な土地とそこに暮らす人々を支配していた。

アダムとエバの子孫である人間は生まれつき原罪を負った罪人であり、自分の頭で神や世界について考え、独自の判断で行動すれば、更に罪を重ねることになるだけ、という前提の下に、一般人には神学や哲学に直接触れさせず、教会の教えに従って生きるよう仕向けていた。法や日常生活の基本的なルールは、教会の教えに従って規定されていた。

「ルネサンス（再生）」がそうした状況に最初の変化をもたらした。貿易や金融によって豊かになった商人たちの財力を背景に、一三世紀末にフィレンツェなどイタリアの都市で始まったルネサンスの運動では、古代ギリシアやローマの時代の、自由で創造的な「人間性」の理想が文献学的な研究（＝人文復興）を通して再確認され、キリスト教の教義から独立した、哲学、歴史、文学、政治学などの諸学問や、絵画・彫刻などの芸術が探究されるようになった。

経済や交通の発展に伴って、フランスなどで中央集権化された国家体制が形成され、徐々に教会の精神的支配から離脱するようになった。ルネサンス期のイタリアでは、教会の権威を否定し、預言者的な指導者の下で神政政治を行うとする運動も起こったが、カトリック教会の支配を根底から揺るがすには至らなかった。

カトリック教会の支配を決定的に揺るがし、様々な自由を生み出すきっかけになったのが、一六世紀初頭の宗教改革である。

犯した罪を金銭で贖《あがな》うことを意味する免罪符の販売など、教会の腐敗や権威主義に「抗議（プロテスト）」することから始まったルター（一四八三－一五四六）の運動は、「プロテスタント」と呼ばれる諸宗派を生み出すことになった。

マルティン・ルター（神学者、プロテスタントが誕生した宗教改革の中心人物）

ラテン語で書かれていたため、庶民には読めなかった『聖書』をドイツ語に翻訳したルターは、各人が自ら神の言葉に接し、自らの意志で神との関係を築き、自らの信仰を導くべきであると主張した。「プロテスタント」が勢力を次第に拡大したのに伴って、教会の支配から最終的に脱しようとしていた諸国の君主がそれを後押しするようになった。カトリック系の君主とプロテスタント系の君主の戦いが繰り返され、三十年戦争（一六一八～四八）の講和のために結ばれたウェストファリア条約によって、各領邦国家の君主が自らの国家で礼拝される宗派を決定する権利を認められた――三十年戦争は純粋なカトリックvs.プロテスタントの戦争ではなく、カトリック国であるはずのフランスが〝プロテスタント〟側についたりしているが、詳しいことは西欧史の教科書的なものを読めばいいだろう。これによって、カトリックの支配は決定的に弱まった。カトリックの信仰にとどまった国家でも、教会は国家から分離され、政治や経済の運営に直接関与することは困難になった。政教分離である。

またプロテスタント系の宗派の教えに刺激され、自由な信仰を求める人々が増えるに伴って、世俗化（脱宗教化）された国家が、自らの領内を精神的にコントロールすることが困難になり、信教の自由が確立する。

それを起点にして、思想信条の自由、表現の自由、経済活動の自由など、各種の自由権的基本権が各国家によって保障されるようになる。カトリック教会による精神を拘束するための網がいったん破れてしまったため、それを修復するのは不可能となり、破れ目はどんどん広がっていった。

もはや国家であれ他のいかなる共同体であれ、教会に代わって人々を精神的にコントロールすることはできない。「消極的自由」は次第に増大していかざるを得ない。

フロムにとっての「ルネサンス」と「宗教改革」

では、フロムは「中世」と「ルネサンス」「宗教改革」の三者の関係をどう見ていたのだろうか。

彼は「中世」を、少数の支配者が圧倒的多数を支配しており、個人の自由がなく、少し旅行するのも命がけであるような、暗黒時代だとする近代合理主義の見方を否定する。他方、中世を近代資本主義に汚染されていない、人々がカトリック教会の強い信仰の下で強く繋がっていたとする牧歌的な見方も誤りだとする。いずれも「中世」の一面しか見ていない、という。

近代社会と比べると、中世社会には確かに個人的自由が欠如している。人々は、社会秩序の中で各人に割り当てられた役割に縛り付けられ、一つの階級から別の階級に移動することはできず、着るものや食べるものさえ指定されていた。職人たちはギルドに属して、互いに便宜を図ることを義務付けられ、生産の技術を他に漏らすことも許されなかった。規則と義務にがんじがらめにされて、自由の余地はなかった。

その一方で、各人は決して孤独ではなく、孤立していなかった。生まれた時から社会的世界の中で明確な固定した位置を持ち、全体の構造の中に根を張っていた。生き残りを懸けた競争はなく、与えられた役割を果たしさえすれば、安定感と帰属感が得られた。人生の意味について疑う必要はなかった。

自らの社会的領分の限界の範囲内では、個人は仕事でも情的生活でも自己表現するかなりの自由があった。様々な可能な生活様式の間での制約のない選択――多分に抽象的な選択の自由——という意味での個人主義はなかったが、実生活における具体的な個人主義は大いにあった（五三頁）。

こうした意外な「中世」評価から垣間見られるように、フロムは「選択の自由」が名目的に増えることをさほど望ましいことだとは思っていないようである。

例えば、数学者、スポーツ選手、音楽家等になる自由を与えられても、それらの才能のない人間には意味がない。商業活動の自由を認められても、元手や取引相手を得るめどが全く立たない状況にある人はそれを活かせないし、意見表明の自由を認められても、他者に自分の考えを伝える媒体を——費用や能力の制約のため——利用できない人にはほとんど意味がない。

そうした抽象的な「選択の自由」が増える代償として、社会的絆を失い、孤独と不安に苛まれるよりは、社会の中できちんとした地位と役割をそのまま保持しながら、その立場で安心して創造性を発揮できるほうがよいかもしれない。フロムは明言していないが、そうした見方もあることを示唆している。

当然、ミルからハイエクに至る、「消極的自由」論にはない発想である。利用できない選択の自由が拡大することよりも、各人に社会の中での位置と役割を与えるもの（＝居場所）

として企業などの組織体を重視するドラッカーの発想とは親和性があるかもしれない——ドラッカーの企業観については、拙著『思想家ドラッカーを読む』（NTT出版）を参照。

話をフロムの「中世」観に戻そう。

フロムは、カトリック教会の働きにも二面性があると見る。一方で、人々に「罪」の意識を与えることで、自由な思考を抑制したが、人々が人生の中で経験する様々な苦悩や煩悶は、人類始祖の犯した原罪の帰結であり、本人だけの責任によるものではないと教えることで、苦悩を和らげた。また、各人の生活空間を限定したが、反面、無条件の愛を保障し、神に愛され許されているという確信を与えた。

こうした「中世」の安定を徐々に揺るがすようになったのは、中世末期における経済を中心とした社会機構の変化である。

都市を中心に経済的な競争が次第に強まり、資本を蓄積した人たちが、新しい階級を形成した。都市の上層階級は自らの富に見合った新しい生活様式を求めた。趣味、流行、芸術、哲学、神学など、あらゆる領域で上層階級の価値観に見合った、新しい創造が始まった。

そうした変化の先端になったのが、商業の中心地であったイタリアの「ルネサンス」である。「ルネサンス」の多様な文化活動の中で、第一次的な絆から精神的に離脱した、近代的な意味での「個人」が誕生した。

フロムは、スイスの歴史家ヤーコプ・ブルクハルト（一八一八―九七）を引きながら、大筋ではオーソドックスな「ルネサンス」観を示している。ただし、「ルネサンス」の文化は市民の中の上層の人たちのものであり、彼らが富を背景にして精神の自由を謳歌する一方で、財産を持たない一般大衆は中世よりも不安定な状況に追い込まれ、マキャベリ（一四六九―一五二七）が理想とするような、権力を獲得・維持するために権謀術数の限りを尽くす権力者たちによって操られやすくなった。

ニッコロ・マキャベリ（政治思想家、フィレンツェ共和国の外交官。主な著作に『君主論』がある）

新しい専制政治が新しい個人主義と並んで現われた。自由と専制、個性と無秩序は、分かちがたく絡み合っている。ルネサンスは小さな商店主や小市民の文化ではなく、富裕な貴族とブルジョワの文化であった。彼らは自らの経済活動と富によって、自由の感情と個性の感覚を持った。しかし同時に、これらの同じ人々は何かを失った。それは中世の社会構造が与えていた安定感と帰属感だ。彼らはより自由になったが、また同時により孤独になった。彼らはその力と富を用いて、生活から快楽の最後の一滴をも絞り出そうとした。しかしその過程で、彼らは大衆を支配するために、また自分と同じ階級の競争者を抑えるため、肉体的な拷問から心理的な操縦まで、あらゆる手段を容赦なく用いなければならなかった（五七頁以下）。

フロムにとって、「ルネサンス」は二つの面で両義的であった。自由の感情と個性の感覚の代償に、安定感と帰属感を喪失させたこと、そして、自由をある程度享受できる上層階級と、一方的に支配され、自由を享受できない下層階級の間の乖離である。

不安定さの中で可能な限り自由な生活の快楽を追求しようとする新たなタイプの権力者たちは、下層の人々を支配し、自分のために利用しようとする。そのため、後者は不安定化した社会秩序を経済的に支えるべく、自由は与えられず、一方的に重荷だけ負わされることになる。

フロムによると、そうした重荷を負った下層の人々にとっての「自由」をもたらしたのが「宗教改革」だ。「ルネサンス」と「宗教改革」の関係を階級の視点から分析し、後者をより「下層」の人々にとっての自由と結び付けるところに、フロムの発想のユニークさがある。一九四〇年代の政治感覚では、文化現象である「ルネサンス」を階級格差の視点から捉えるのはマルクス主義的な発想であり、フロムの左派的性格が露呈しているように思える。

その一方、信仰、つまり内面の世界での〝革命〟である「宗教改革」を下層の人々にとっての「自由」の拡大の契機と見て評価するのは、「宗教は民衆の阿片である」とする通常のマルクス主義にはない発想だ。

新しい宗教は富裕な上層階級の宗教ではなく、都市の中産階級や貧困階級、または農民の宗教であった。新しい宗教はこれらの階級の人々に訴えた。何故ならそれは、これらの人々に浸透していた無力と不安の感情と共に、自由と独立の新しい感情をも表現していたからである。しかし宗教の教義は、経済秩序の変化によって引き起こされた、もろもろの感情を的確に表現しただけではなかった。その教義はそれらの感情を促進すると同時に、他のやり方では耐えられないような不安と闘うための解決策を提供したのである（七二頁）。

「宗教改革」がもたらした自由

では、プロテスタントの教義のどの側面が、無力さと不安感に囚われた中下層の人々の感情にフィットしたのだろうか。

通俗的な近代史理解から想像すれば、救いに向けての各人の自由意志による努力の重要性を強調するプロテスタントの教義が、それまで虐げられていた人々に自発的に行動する勇気を与えた、ということになりそうだが、フロムはそうは考えない。むしろ、その逆である。

中世の代表的な神学者であるトマス・アクウィナス（一二二五頃—七四）やオッカム（一二八〇頃—一三四九頃）は、神の救いに預かるには人間の自由意志による努力が必要であることを力説している。ドゥンス・スコトゥス（一二六五頃—一三〇八頃）は、人間は自己の意志の実現によって、個別の自我を形成すると主張した。

カトリックの教義において、人間は、外界の物理的な作用に左右されない自由意志を持っている、とされていた。各人は自由意志による決断で、善行を成し得るのである。「自由意思」論の有無は、カトリックとプロテスタントの決定的な対立点ではない。ポイントは別のところにある。

カトリック教会は、各人に〝自由意志〟に基づいた〝善行〟をさせるべく誘導しようとした。ルター、そしてフロムはそこに問題があると見る。

例えば、免罪符は、現代人からすると、信仰の押し付けでしかないが、カトリック教会の論理としては、「免罪符を買う」というのは、救われようとする各信者の〝自発的行為〟である。教会は、魂の救いのため、〝自発〟的に行為するよう、信者たちを教育し、その行為に報いる〝救い〟の記《しる》しを、キリストを代理して与えてやることで、権威を維持してきた。

トマス・アクウィナス（神学者、哲学者。著作『神学大全』で知られるスコラ学の代表的神学者）

　ルターの教義は第一に、そうした教会の権威を否定し、各人に信仰者としての自由と独立性を与えた。「信仰と救済に関する彼の考えは、主観的で個人的な経験に関わるものであった。責任は全て個人にあり、個人が自分自身で獲得できないものを個人に与えてくれるような権威とは関係ないのである」(八二頁)。内面的な経験の重視に基づく、精神的権威の否定と、個人の「独立」という思想が、英国のピューリタンなどによって受容・強化され、政治的自由主義を支えることになった、という。

ルターの教義のもう一つの側面として、これとは一見相反するように思えるが、人間の本性＝自然(nature)には悪が内在し、人間の意志は常に悪へ向かっていく傾向があり、悪に対して無力であることを直視させる、ということがある。

人間は自らの自由意志だけで善を成し、自力で救われることはできない。そもそも人間は、自分の仕事が神の目に悦ばしいものかどうか知ることができない。ただ、信仰を持ち続ければ、神による(一方的で無条件な)救いを確信することは可能である。信仰に関する主観的経験、神からの恩寵、啓示、それによる回心(内的価値観の根本的な変化)の経験が、その「確信＝確実性 certainty」を与えてくれる。ルターにとって、信仰とは、この確信を得るための営みなのである。

日本文化論が好きな人であれば、ここに浄土真宗の「絶対他力」の信仰と類似のものを見いだし、簡単に納得してしまうかもしれないが、心理学者であるフロムは、ルターの態度に根本的な非合理性を見る。ルター自身の心理的傾向が、彼の教義に反映しているのである。フロムはルターの生涯と心理的発展過程についてはあまり細かく論じていないが、少し後に、同じくユダヤ系の精神分析家であるエリク・H・エリクソン（一九〇二－九四）が『青年ルター』（一九五八）で詳細に分析している。

ルターは、自分の本性が悪であるがゆえに、救われないのではないか、という不安と無力感に囚われた。だからこそ、確信を得ようと信仰に専心していくのだが、その自分の信仰心自体を疑っているのである。自分でも疑わしいと思っていることにコミットすることで、不安から解放されようとするのは、第三者的に見れば、極めて不合理な営みだ。しかし本人は、自己自身への懐疑の果てに、神の恩寵による救いへの希望を見いだしたと確信する。どうして、その〝内的経験〟は疑わないのか。ルターは、デカルト（一五九六－一六五〇）のような合理主義者ではなかった。

エリック・H・エリクソン（発達心理学者、精神分析家。「アイデンティティ」の概念を提唱した）

それは自由な思考に基づいて、既成の見方をあえて疑うような合理的懐疑ではなかった。それは外界に対し

> て不安と嫌悪の態度を取る人間の、孤独と無力から生じる非合理的懐疑であった。この非合理的懐疑は、合理的な解答によっては決して治癒されない。それは個人が意味ある世界を構成する一部分になる時に初めて消失し得る。（…）そしてこれは、絶対的な確実性を約束する信条だけがなしうることである。ルターに見られるような、確実性への強烈な追求は、純粋な信仰の表現ではなく、耐えがたい懐疑を克服しようとする要求に根ざしている（八五頁以下）。

フロムから見れば、ルターや彼の教えに共鳴した人たちは、合理的に信じる根拠があるから信じているのではなく、自分自身をめぐる不安から逃れるため、神の恩寵を〝信じている〟のである。

突き放した見方をすれば、論理的な意味で「信じている」のではなく、神の愛によって救われる可能性があるという信条に強烈にコミットし、他を顧みないことで、不安を抑え込んでいるだけである。しかし当人にとっては、そうした内的状態が成立していることが、神が与えてくれた奇蹟であり、信仰の根拠なのである。

「意味ある世界を構成する一部になる」というのは、「孤独な自己」を除去して、圧倒的な力を持つ神の摂理の道具になり切ること、正確に言えば、そうなったと信じる（思い込む）

ことである。個体として見た自分は無力であるが、その無力な自分を放棄することで、自分が神の摂理の中で一定の役割を果たしている、という確信を持とうとするのである。

こうした自己否定の姿勢は、ますます「他力本願」めいてくるので、仏教思想に関心のある人は喜びそうだが、フロムは、本当に「自己」を放棄することができるとは考えていない。疑う自己意識を沈黙させているだけである。

フロムが指摘するように、〝自己否定〟して、より大きなものの一部になったつもりになることで、不安を解消しようとする人は、特定の信仰を持たない現代人にも少なくない。宗教的な言葉で考えていないので、本人は気が付いていないだけである。会社や学校、政党、運動団体などに強くコミットし、自分はこの集合体の不可欠の一部だと強く信じようとすることで、人生にまつわる不安を解消するということは、私たちのほとんどが程度の違いこそあれ、日常的にやっていることである。ネット上で特定の（かなり偏った）意見を持ったクラスターの一員として振る舞い、自分たちの〝正しさ〟を頑強に主張し、（現実を見ていない）他者を〝啓蒙〟しようとするのも、そうしたメンタリティの表れであろう。

後で見るように、こうした〝自己否定〟の心理がナチスのような全体主義の運動を生み出す母胎になるのである。

では、そうした（「権威」からの）「独立」と「不安」（ゆえの自己放棄）という二面性を持つルターの教義は、封建社会の解体で一方的に不安な状態に置かれている人たちにどう作用したのか。前者については以下のように述べている。

都市の貧民、そしてそれ以上に小作農は、絶望的な状況にあった。彼らは容赦なく搾取され、伝統的な権利と特権を剥奪された。彼らは革命的気分にあり、それは農民一揆や都市の革命運動となって現れた。福音は、かつて原始キリスト教が奴隷や労働者のためにしたのと同様に、彼らの希望と期待を表した。ルターは権威を攻撃し、福音の言葉をその教えの中心とした。彼は、彼以前の福音主義的な性格の宗教運動と同じように、そうした反抗的大衆に訴えたのである（八七頁以下）。

ルターの教えの反権威主義が、絶望的な状況にあった民衆を刺激し、叛乱に導いたというのは容易に想像できることである。

実際、ルターが一五一七年に『九十五か条の論題』を提出して、改革の狼煙を上げた数年後に、ルターの影響を受けたトマス・ミュンツァー（一四九〇頃－一五二五）を指導者とするドイツ農民戦争がドイツ諸邦で勃発している。ルターは当初、叛乱せざるを得なかった農民たちの窮状に同情する姿勢を見せていたが、彼らが社会秩序の完全な破壊を目指しているると分かると、態度を急変させ、神の意志に反する暴徒たちを断固討伐するよう封建君主たちに呼びかけた。

フロムによると、そうしたルターの両義的な態度は、彼が代表していた中産階級、すなわち、下層の人たちと違って、ある程度は守るべき地位と財産がある人に見られるものである。彼らは自由ゆえの孤独と不安に苛まれ、貴族や教会の特権に反発していたが、革命によって全てが破壊され、自分たちの持っているものまで奪われることは望まない。

こうしたルターの中産階級的な保守性の原因であると同時に、中産階級と下層階級の双方に彼の教えが浸透した原因として、フロムは先の、不安から離脱するための自己放棄という側面を指摘する。自分の存在が無意味であると感じる人々に対して、ルターは一つの心理学的解決策を呈示した。

自分の無意味さを認めるだけでなく、自分を最大限に卑下し、個人的意志のあらゆる痕跡を放棄し、個人的な力を徹底的に拒絶し告発することによって、個人は神に受け入れられるかもしれないという希望を持てるのである。ルターの神に対する関係は、完全な服従であった。彼の信仰についての考えは、心理学的に以下のことを意味する。すなわち、もしあなたが完全に服従し、自らの個人的な無意味さを認めるならば、その時、全能の神は喜んであなたを愛し、あなたを救おうとされるかもしれない。あらゆる欠点と疑いを伴う個人的自己を、最大限の自己消去によって取り除くならば、あなたは自分自身の虚無感から解放され、神の栄光に参加することができる。こうして、ルターは人々を教会の権威から解放する一方で、人々をなお一層専制的な権威に服従させた。その権威とは、救済のための本質的条件として、人間の完全な服従と、自己を無化することを要求する神である。ルターの「信仰」は、自己を放棄することを条件とする、愛されていることへの確信であった。それは国家と「指導者」に対する個人の絶対的服従という原理と、多くの共通点を持つ解決法だ（八九頁以下）。

この箇所については、ほとんど説明は必要ないだろう。ルターは、壊れかかった教会の権威に代えて、自分の生に意味を与えてくれるより大きな権威をつくり出したのである。この見えない権威は、形の上では、人々の〝自由意志〟による〝信仰〟に基づいているので、強制だと気付きにくい。カトリック教会のように様々な規則や教えによって準法的に命令する権威ではなく、心理学化した形で導く、表面的にはソフトな権威である。

ヒトラーやムッソリーニのような可視化された「指導者」を権威とする二〇世紀の全体主義とは、その点が異なる。ただ、貧困や関係性の喪失のために、自分は誰からも必要とされていない、何のために生きているか分からないと感じている大衆に、中途半端に終わらない徹底した自己放棄と、それに続く〝真に大いなるもの〟との一体化を迫るという心理学的基本構図は共通する。

現代日本における新興宗教やスピリチュアル系のセミナー、あるいは、カリスマ経営者、カリスマ講師など各種のカリスマ〇〇は、それを縮小再生産しているのかもしれない。

カルヴィニズムとナチズム

ルターと並ぶ宗教改革の立役者として言及されるのが、ジュネーヴを拠点に活動したフランスの神学者カルヴァン（一五〇九－六四）である。

彼の教義には二つの特徴があるとされる。一つは、神の救済に預かる者と滅びに至る者は予め決められていて、個人の努力によって変わることがない、という予定説である。もう一つは、各人には神より与えられた使命（vocation）があり、それぞれの使命を果たさねばならない、という教えである。両者は矛盾しているように思える。しかし、カルヴィニズムにおいては、両者は、自らの日々の生活を規律し、与えられた使命を着実に果たしていくことが、自分が選ばれた者＝救われる者であるとの確信に繋がる、という形で統合される。

ドイツの社会学者マックス・ウェーバー（一八六四－一九二〇）が『プロテスタンティズムの倫理と資本主義の精神』（一九〇四／〇五）で論じるところによると、こうしたカルヴァンの教義は、各人が勤勉に働き、蓄財して事業を拡大し、成功を収めることが、神の救いの確信に繋がる、というプロテスタント的な職業倫理を生み出した。フランス語の〈vocation〉、

ジャン・カルヴァン（神学者、宗教改革の指導者。著作に『キリスト教綱要』がある）

ドイツ語の〈Beruf〉、英語の〈calling〉は、神などによる「召命」「使命」が原義であるが、それから派生した「職業」という意味もある。それぞれの「職業」に従事することが、神からの「召命」であるという発想の反映と見ることができる。ルターやカルヴァンはそうした含意を意識して、この言葉を使った。

これは世俗の職業実践に価値を置かなかったカトリックとは対照的な発想である。中世のカトリック教会にも修道士の勤労生活を聖なる務めとする考え方はあったが、世俗の職

業生活を神の祝福の証《あか》しと見なす発想はなかった。

そうした教えは、身分制的・ギルド的な制約を脱し、事業を拡大しようとする新興の中小商工業者の生き方にフィットしていた。その影響を強く受けた英国のピューリタン（清教徒）は、一七世紀半ばの英国での市民革命や北米での植民地建設で中心的役割を果たした。

フロムは、カルヴァンのルターとの違いについて二点指摘している。一つは予定説である。人間の努力によって救われるわけではないという点は同じだが、救われるものと滅びに至るものは神の意志で予め決まっていて、変更の余地がない。これでは愛と正義の神ではなく、専制君主である。専制君主的な神の予定の前で、個人の無意味と無力は一層際立つ。ごく普通に考えれば、これでは信者の懐疑は強まるだけである。

しかし、彼らはルター派以上に徹底した自己否定の態度を貫くことで、根本的懐疑を救いの確信へと転化する。フロム

マックス・ウェーバー（政治学者、社会学者、経済学者。他著作に『職業としての学問』など）

はそこに不吉な兆候を読み取る。

カルヴァンの予定説には、ここではっきり言及しておくべき一つの意味が含まれている。というのは、予定説はナチスのイデオロギーの内に、もっと生き生きした形で復活したからである。それは人間の根本的不平等という原理だ。カルヴァンにとって、二種類の人間が存在する——救われる人間と永劫の罰に定められた人間だ。この運命は彼らの生まれてくる以前に決定され、それぞれの人生におけるいかなる行為でも、それを変化させることはできないのだから、人類の平等は原則的に否定される。人間は不平等に作られている。この原理はまた、人間の間にいかなる連帯性もないことを意味する。というのは、人間の連帯性の最も強力な基礎となる一つの要素が否定されているからである。人間の運命の平等だ。カルヴィニストは全く素朴に、自分たちは選ばれた者であり、他の全ての者たちは神によって罰に定められた人間だと考えた。この信仰が心理的に、他の人間に対する深い軽蔑と憎悪を表していることは明らかだ(…)。近代思想は、人間の不平等をますます肯定するようになったが、カルヴィニストの原理は決して完全に黙したわけではなかった。人間はその人種的背景ゆえに根本的に不平等であるという原理は、この原理を合理化し、確認したものである。心理学的な含意は全く同一なのである（九七頁以下）。

フロムは、「永劫の罰に定められた者」を蔑視することで、自分たちが「救われる者＝選民」であることを確信しようとするエリート意識を、カルヴァン派の特徴と見ているわけである。カルヴァン派とナチスをストレートに結び付けてしまうのは、さすがに飛躍だと思う読者は少なくないだろう。

ただ、先行きに不安を抱える個人が、自己中心的に、「自分たち」と「彼ら」がはっきりと二分された世界像を描き出し、「彼ら」を差別することで、自分たちの優越性を確認しようとする傾向は、心理学者に教えられるまでもなく、現代社会の至るところで観察できることだろう。「他者」を蔑視することで、蔑視している自分たちは優位に立っており、かつ仲間であるという実感を得られる。

カルヴィニズムは近代初期において、カトリック教会の一元的な教理から解放され、自由になった一方で絆を失って不安な人々の間に、そうした二分法的な差別＝エリート意識といった思考法が育ちやすい土壌を生み出したのかもしれない。

大きな社会の中で孤立している（と感じている）信仰の共同体が、エリート（選民）意識によって結束を保つというのは、初期（ローマ帝国時代）のキリスト教に見られるように、様々な例があるが、カルヴァンはそうした感情に神学的な根拠を与え、正当化したのである。

ナチスは、ドイツをヨーロッパで最も強力な工業国家にした強大なドイツ帝国（第二帝政）の崩壊と、従来の経済・社会構造の急速な変化で、不安に陥っていたドイツ人の間に、強烈な選民意識を再び呼び起こした、と見ることができる。

ドイツ帝国の人口の三分の二は、プロテスタントであった。その多数はルター派であるが、自らを選ばれし者と教理的に確認し、不安と懐疑を乗り切るという発想が、国家の統一が遅れ、英仏の後塵を拝してきた、ドイツ人全般に浸透していたのかもしれない。

フロムが指摘するカルヴィニズムのもう一つの特徴も、西欧近代社会の特性と密接に関わっている。それは、「道徳的努力（moral effort）と有徳な生活（virtuous life）」の重要性を強調した点である。

ウェーバーがプロテスタンティズムの「倫理 Ethik」あるいは「エートス Ethos」と呼んだものである。「エートス」というのは、英語の〈ethics〉やドイツ語の〈Ethik〉の語源になったギリシア語で、その人の人格の一部になり、道徳感覚をも規定している慣習の集合、あるいはそれに適合した生活あるいは生活態度を意味する。

カルヴァンの影響を受けたプロテスタントたちは、神からの「召命」に応えて、最大限の成果を出すべく、自分の生活のルールを作り、修道士のように、規則正しく生活しようとした。カトリックの修道士は、上から与えられる規律に従ったのであるが、プロテスタントは自発的にそういう規則を作り出したのである。ウェーバーの用語で言うと、「世俗内禁欲 innerweltliche Askese」である。

ただ、道徳的生活を送ることが重視されるといっても、予定説が前提であるから、その努力によって救われるかどうかに影響があるわけではない。そうではなくて、カルヴァン派にとって「努力できるということ自体が、自分が救われた人間に属していることの一つの前兆」になるのである。

> 不安の状態、無力と無意味の感情、特に死の後の未来についての懐疑は、誰にもほとんど耐えられない精神状態を示している。こうした恐怖に打ちひしがれた人間は誰でも、気を抜いたり、生活を楽しむことや、また未来に起こることに無関心であったりすることはできないだろう。この耐え難い不確実さの状態、そして自己の無意味さから生じる麻痺させるような感情から、逃れることのできるただ一つの道は、カルヴィニズムにおいて極めて顕著になったまさにその特性だけである。狂ったような活動と何かをしようとする衝動の発達だ。このような意味の活動は強迫的な性質を帯びる。個人は疑いと無力さの感情を克服するため、活動的であらねばならない。このような

種類の努力や活動は、内面的な強さや自信の帰結ではない。それは不安からの必死の逃避である（九八頁以下）。

自分の生が無意味に感じられるから必死に活動する、というのは文にすると非合理そのものだが、私たちの多くが人生の節目で経験していることでもある。受験勉強や就職活動、人生の成否がかかる大仕事等に臨んでいる時、成功する気がしなくて、絶望的な気分になるということがしばしばある。それで完全にやる気をなくす人もあれば、不安を意識から消すため、あるいは不安を一時的に忘れるために、勉強や仕事に必死に打ち込む人もいる。徹底して集中して打ち込んでいる間は、自分は成功に向かって進んでいるような気になれる。だからやめられない。

これは、市場を中心に諸事物やサービスの価値が激しく変動し、政治や法、国際関係の在り方、更には人々の価値観がどう変動するか予測できない近代社会において、職業生活に専心するうえで必要なメンタリティであろう。

「こんなことに意味があるのか？」、と疑問を持つたびに手を止め、悩み込んでしまっては、仕事はできないし、手を止めることで余計に落ち込んでしまうことになりかねない。結果が分からないけど、とにかく救いへの〝希望〟を維持するために頑張るという姿勢をみんながが維持すれば、社会全体の経済は回っていく——無論、そうした流れについていけなくて、どんどん疑念に囚われて、深く沈み込んでしまう人もいるだろう。

しかし、それは、人々に自らの将来について合理的に考えることを放棄させ、自分のコミットすべきものを示してくれる神のように強い「指導者」を求めるように仕向ける危険も秘めている。自分がやっていることの意義について不安だからこそ、当面の課題に必死にならねばならない、という心理的メカニズムをつくり出したうえで、目標に向かって突き進む諸個人の努力を組織的に集約することができれば、極めて求心力が高い精神的な支配体制を築けそうだ。

ジュネーヴに神政政治の体制を実現し、ピューリタン的な精神による植民と二つの革命を実現したカルヴィニズムと、そして十二年間にわたってドイツを支配したナチズムはそれにある程度成功した。

敵意と良心

ルター派にせよカルヴァン派にせよ、フロムの目から見た場合、神によって選ばれ救われたという完全な確信に根ざした、安定した信仰ではなく、焦りのようなものを原動力にした不健全なものであるという印象を受ける。
フロムは更に、プロテスタントの信仰を持つようになった人々の内にある、「敵意 hostility」を指摘する。それは、自分の立場を脅かす他者たちに向けられた「敵意」である。

既成の社会秩序が崩壊しつつある時代にあっては、あらゆる階層の人々が自分を脅かすものの存在を感じ、攻撃性をむき出しにする。下層階級は、自分たちを搾取して繁栄する金持ちを憎み、彼らの権力を転覆しようとする。上層階級も権力欲に突き動かされ、自らの権力を拡大しようとしていた。安定を好む中産階級は、自らの地位を脅かすものに敵意を向ける。

中産階級のうち、勃興する資本主義経済の恩恵を受けられず、むしろ競争に負け没落しつつある人々は、仲間の成功者を妬むようになる。彼らは基本的には社会の安定を望む保守的な階級であり、革命的な変動を望まないので、恨みに満ちて暴発寸前の貧しい人たちや権力の頂点を目指す人たちに比べると、「敵意」を表に出さず、抑圧する傾向がある。

しかし、意識の表面から排除された「敵意」は消滅することなく、無意識の中に蓄積され、彼らのパーソナリティに影響を与えることになった。

フロムに言わせれば、ルターやカルヴァンはそうした社会全体に浸透していた「敵意」の権化である。彼らは、歴史上最も憎しみに囚われた宗教指導者であると同時に、「敵意」

に満ちた教義で、「敵意」に駆り立てられた人々に訴えかけた。その「敵意」は、当人たちの努力に関係なく、ある人たちを滅びの運命に定めている神、人間に一方的な服従と卑下を強いる、専制的で残酷な神をめぐる教義に表現されていた。自らの秘めた「敵意」を、神に投影していたわけである。

神は社会の現状に不満を抱く人々に代わって、罪人を容赦なく罰してくれる。ルターやカルヴァンがそうであったように、プロテスタントは不道徳な者たちに対して激しい憤りを向ける。

それは、ルターの時代からヒトラーの時代に至るまで、下位中産階級の変わらない特徴である。この階級は、富と力にたよって生活を楽しむことができる人間に対して、実際には羨望を抱いていたが、彼らはその恨みと生活上の羨望を、道徳的な公憤を表明する言葉や、これら上層の人々は永遠の苦悩という罰を受けるだろうという信念によって、合理化していたのである（一〇四頁）。

先に見たように、プロテスタント、特にカルヴァン派は、日常生活における自発的な勤勉・勤労の重要性を強調した。しかし、それは純粋に内発的な動機だけに基づく態度ではなく、〝不道徳な輩〟と、自分たちを差別化することをも意味していたわけである。

これは、それほど特異な話ではない。(気に入らない)不心得者を糾弾してやりたいという強い衝動ゆえに、〝道徳にうるさい潔癖症的な人間〟を演じる、あるいは、実際そういう人間になり切る人がいる。あるいは、〝道徳的な人間〟になろうと無理に努力している人が、その苦しさに耐えるために、自分たちと対照的な不埒な輩を糾弾することで、心のバランスを取ろうとすることがある。

日本にも、自分の境遇に強い不満を抱き、(自分たちから見ての)〝特権階級〟に恨みを抱く人たちを強く引き付ける社会運動や宗教団体がある。彼らは、差別や不公正がない社会を目指すとか、真の日本を取り戻すといった、美しいスローガンを掲げ、悪しき権力者や金持ち、非国民を徹底糾弾することで、自分たちは道徳性が高いエリートであることを自他に対して証明しようとする。

ネットでしばしば起こる、不正を働いていると思《おぼ》しい者、不適切な言動をしたと見なされる者を吊るし上げる、炎上騒ぎは、それをかなり安易な形で拡張したものであろう——ネットの匿名性のために、糾弾している自分自身が実際、どういう生活をしているのか、他者には知られないので、安易に糾弾し、優越感に浸れる。

フロムは更に、プロテスタントの「敵意」が、自分自身にも向けられたことを指摘する。

ルターやカルヴァンは人間の邪悪さを強調し、卑下と謙遜を信仰の根底に据えようとした。「卑下 self-humiliation」は激しい憎悪に根ざしている。他者に対する憎悪と、自己自身に対する憎悪は一見、相反する傾向のように思えるが、フロムに言わせると、両者は繋がっており、パラレルに発展していく傾向がある。

他者に対する敵意が直接的で意識的であるのに対し、自己に対する敵意が無意識的・間接的なので、その繋がりが分かりにくくなっているだけである。

分かりにくいメカニズムに思えるが、自分がそれに関して他人を糾弾している問題が、自分自身にも当てはまる可能性があり、無意識的にすごく気にしている点であったことに、何かのきっかけでふと気付くという現象に即して考えれば、分かりやすくなるだろう。

他人が無教養なのにもかかわらず、偉そうに話していることにいちいち腹を立てる人は、自分自身の無教養がバレるのではないかと恐れており、他人の言葉遣いの品のなさがやたらに気になる人は、自分の行儀作法に自信がない人である、というのはよくあることである。

自分自身のことはどこかで分かっていても、認めたくないので、その〝気付き〟を無意識の中に追いやろうとするが、その反動で、他人の同じような欠陥が目につき、腹が立つ。

フロムは、こうした自分自身に対する「敵意」は、二つの仕方で合理化された形で、表面化すると指摘する。一つは、まさにフロムがプロテスタント、更には近代人の特徴だとしている、自己の「邪悪さ wickedness」と「無意味さ insignificance」の強調である。もう一つは、「良心 conscience」や「義務 duty」の仮面をかぶって表れる。後者について、フロムは以下のように述べている

> 宗教改革以来、今日に至るまで、宗教的あるいは世俗的な合理化によって、近代人の生活に浸透している「義務」の意識は、自己に対する敵意によって強烈に彩られている。「良心」とは、自分自身によって、人間の内に引き入れられた奴隷監督者に他ならない。良心は、人間が自分自身のものと信ずる願望や目標に従って行為するように駆り立てるが、その願望や目標は、実は外部の社会的要求の内在化したものだ。良心は、峻厳かつ残酷に彼を駆り立て、快楽や幸福を禁じ、彼の全生涯を何らかの神秘的な罪に対する償いとするのである。それはまた、初期カルヴィニズムや後期ピューリタニズムに特徴的な、「世俗内禁欲主義」の根底にあるものだ（一〇五頁以下）。

「良心」がそれほど高尚なものではなく、実は、社会の要求（であるとその個人が思い込んでいるもの）を内在化したものであるというのは、ポスト近代系の現代思想でしばしば語ら

れるテーマである。

フロイトの用語でいえば、社会の代表、父親の代理として、「自我」を監督し、社会規範からの逸脱を厳しく糾弾し、良心の呵責《かしゃく》という形で責め苛む「超自我」である。「自我」は、「超自我」から強い敵意を受けているとさえ感じる。「自我／超自我」という言い方をすると難しく聞こえるが、周囲から自分が低く評価され、仲間と認められていない、軽蔑されている、非難されている、などと考え、自意識過剰になっている人が、潔癖症的な振る舞いをし、他人に辛く当たるようになるメカニズムと基本的に同じである。

それが心の習慣として定着し、他人の目ではなく、自己の内なる〝何か〟として、時には本人の意識に反して、無意識的に作動するようになったのが、「超自我」もしくは、フロムの言う意味での「良心」である。

フロムの叙述で興味深いのは、「良心」が、国や時代ごとに異なる、社会的規範の実体化したものと見るだけでなく、それが、第一次的な絆から離れ、「自由」になってしまったことに対して、近代的主体が抱く罪の意識、後ろめたさ、不安に由来することを示唆している点である。

「良心」は、「おまえは罪人だ！　永遠の滅びに運命付けられているかもしれない！　どうする！」と脅かし、それによって、自他の不道徳を許さず、道徳的に自己を律するよう仕向けていく。主体は、日常的に良心家として振る舞い、職業生活に専念するよう、心理的に追い立てられているのである。

カント（一七二四－一八〇四）をはじめとする近代の道徳哲学者たちは、「良心」に基づく自己規律こそ、「自由」の本質だと見なしてきた。

ウェーバーはそうした発想の根っこがプロテスタンティズムにあり、それが資本主義発展の原動力にもなったと社会学的に論証することを試みた。

フロムは、そのカント―ウェーバー的な「良心」観の裏に、近代化の過程で蓄積していった、自由に伴う不安と敵意が潜んでおり、決して、額面どおりの誇らしいものではないこと、むしろ呪わしいものであることを心理学的に示したのである。

全体主義が、個人の自由を消滅させ、全体（を代表する指導者）の意志に無条件に従うことを良しとする、非合理的な信念に依拠していることについては、ドラッカーも『「経済人」の終わり』（一九三九）で指摘している。

ドラッカーによると、宗教的な人間観が失墜した後、近代社会を牽引してきたブルジョワ自由主義と、そのオルターナティヴとしての社会主義の双方が、ユートピア社会に向けての合理的な設計図を描き、その実現に失敗してきたせいで、かえって、一見無茶苦茶なことを言って、それを無条件に信じろ、と迫ってくるナチスやファシズムのようなもののほうが信じやすくなった、という。

これも、最近のアメリカや日本のネット世論における、〝無茶なことを言うカリスマ指導者〟の人気などを見ていると、納得のいく話であるが、ドラッカーはどうしてそうした「非合理ゆえに我信ず Credo quia absurdum」というようなメンタリティが生じたのかまでは説明していない。

フロムは、カトリック教会の権威が弱まり、自由になった代償として、人々の間に不安と敵意が蔓延し、それがプロテスタントの教えによって方向付けられたことに、その遠因を見ようとする。

イマヌエル・カント(哲学者。主著に『純粋理性批判』『実践理性批判』『判断力批判』がある)

日本人の多くはキリスト教の信仰と直接関係ないが、少なくとも明治維新以降、伝統的な共同体の解体に伴う不安と敵意に囚われつつあった諸個人を、社会の合理化・効率化に向けて動員するための試みが、政府や各種の宗教・社会運動によって成されてきたのは確かだろう。

第三章

「自由の二面性」を考える

資本主義と自由

前章で見たように、プロテスタンティズムの信仰が、カトリック的な共同体から〝自由〟になった人々が自他に対して抱く「敵意」を、生活・職業の合理的規律に方向転換させたことが、資本主義発展の契機になった。では、資本主義は人々の心理や「自由」の在り方にどのような影響を与えたと見ているのか。

フロムは、宗教革命を経た社会において、人々が外的権威から解放され、信仰の自由や言論の自由を享受できるようになったこと自体はポジティヴに評価する。その反面、人々が他人の期待に応えようとし、世論や常識などを気にし、それに同調しようとする傾向が強まったことにも注意を向ける。内的束縛や恐怖に囚われている人は、本当の意味で自らを信じ、自己実現することはできない。

マルクス主義的左派は通常、資本主義の産業機構が人々から主体性を奪い、機械の部品のように非人格的に酷使し、働いているという実感を喪失させ、お互いに人間的な繋がりを持てないようにしているとして非難する。初期マルクスの用語で、「疎外 Entfremdung」という。労働者が、自らが作り出した生産物、自発的に労働しているという実感、職場での人間関係、日常生活の喜びなどから遠ざけ（fremd）られ、結果として、人間らしさを失うということである。

そうした一方的な見方に対してフロムは、資本主義によって、少なくとも諸個人が古くからある権威や絆から解放されたということを認めるべきだと釘を刺す。そうしないと、資本主義批判が過去を徒《いたずら》に美化する非合理主義に陥りかねないからである。

> 人間の魂の解放に関してプロテスタンティズムが開始したことを、資本主義は精神的、社会的、または政治的に継続した。経済的自由がこの発展の土台であり、中産階級がそのチャンピオンであった。伝統のうえに築かれ、伝統による制約を超えて個人が発展する余地が比較的少ない、固定した社会組織に、個人はもはや束縛されなくなった。個人は、本人の勤勉さ、知性、勇気、節約、あるいは幸福が許す限り、自らの経済的富を獲得することが許され、また期待された。成功の機会は自分のものになった。同時に失敗し、各人が他人と争う激しい経済戦において、殺されたり傷付けられたりする者になるのも、すべて自らの責任となった（一一三頁）。

前章で見たように、フロムはプロテスタンティズムの危ない側面を散々強調するが、それでも、諸個人の魂の解放のきっかけをつくったことをしっかり確認したうえで、資本主義をそのプロジェクトの継承者として位置付けている。そのうえで資本主義の下での自由の両義性を説いているわけである。

資本主義的な自由に対するフロムの見方は、ある意味、常識的である。資本主義の市場は、成功するために努力し、賭けに出る自由をもたらしたが、その代償として、競争で敗れた時の負の帰結は、各人が自分の責任で引き受けることを余儀なくした。大きな失敗をすると、財産や地位を失い、生活のためのいかなる保証もない状況に追い込まれるかもしれない。資本主義社会に生きる人は、本人が望まなくても、そうした競争に巻き込まれていく。

資本主義は（「消極的自由」としての）経済的自由を拡大しただけでなく、経済活動を通して次第に自らの力に自信を持つようになった中産階級を鼓舞し、自分たちが活動しやすいよう政治の仕組みを変革する運動を生み出した。清教徒革命、アメリカ独立戦争、フランス革命などに代表される、旧来の権力者に対する政治闘争の勝利によって、言論の自由と政治に参加する平等な権利などが憲法によって保障されるようになり、近代民主主義の基盤が築かれた。

フロムはこうした変化を、人々が自発的に自らに適した関係性を創出することのできる

「積極的自由」の拡大として評価する。それは、単に古い身分秩序から解放されるだけでなく、「活動的で批判的な、責任ある自己 an active, critical, responsible self」を成長させる自由である。

問題は、共同体的な絆の解体による「消極的自由」の拡大が、個人の孤独をも増大させたことである。プロテスタントの教えが、単独で神と向かい合うべきことを強調したことが、カトリック的・封建的共同体に縛られてきた個人にとって解放であるとともに、自分の無意味さと孤独を一層強く感じさせられる状況を生み出したことは、何となく納得しやすい。宗教の教え、特にキリスト教のそれは、個人の内面と深く関わるからである。

しかし、資本主義的な市場での人生を懸けた冒険に乗り出した人、あるいは、市場での競争に日常的に従事している人たち全てが、そうした根源的な不安を抱えている、といわれると、本当にそうなのかと疑問に思う人も少なくないだろう。この点をはっきりさせないと、全体主義の起源をめぐるフロムの議論の説得力はかなり落ちる。特にキリスト教の影響をあまり受けていない日本人にとっては特にそうである。

フロムは、資本主義社会に生きる人間たちが追求する「目的 purpose」に注意を向ける。彼らは当然、自分たちは――封建的・宗教的な絆に縛られていた――他人の目的に奉仕させられているのではなく、自分自身の「目的」を追求していると思っている。しかし実際には、そうなっていない。

彼らは、自分以外の何かの目的に仕えている。資本主義社会に生きる人は、自然にありのままの自分の能力や個性を全面的に発展させることはできない。

資本主義においては、経済活動や成功や物質的獲得それ自体が目的になる。経済システムの発展に寄与することや、資本を蓄積することが、自分自身の幸福や救済という目的のための手段ではなく、目的それ自体になることが人間の運命となる。人間は巨大な経済機械の歯車となった——資本を多く持つ人は重要な歯車であり、資本を持たない人は目立たない歯車である——が、その歯車は常に自分の外にある目的に奉仕するものである。人間外の目的にたやすく自己を服従させようとするこの傾向は、実際には、プロテスタンティズムによって準備された——ルターやカルヴァンの精神は、こうした経済活動の優位を認めることから程遠かったわけではあるが。しかし彼らはその神学上の教えにおいて、人間の精神的支柱と、人間の尊厳と誇りの感情を破壊することで、また、あらゆる活動は、自己の外部にある目標に資するものでなければならないと説くことで、この傾向の発展の基盤を作ったのである（一二七頁）。

マルクス主義で「疎外」といわれる現象と基本的に同じことだが、フロムは、労働力を売って生活する労働者だけではなく、資本家を含む、組織に従属して組織の維持のために働いている人たち全てに当てはまるよう、議論の射程を広げている。「資本」によって巨大な事業が動き出し、そのための組織が形成されると、組織に属し、生計を得る人々は、その事業の維持・拡大のためだけに働き続けざるを得なくなる。他のことに従事する余裕はなくなる。

彼らはいつの間にか自らの固有の人生の目的を見失い、人生全体を組織のメカニズムに全面的に組み込むことになる。そういう生き方が社会に浸透すると、「資本」の蓄積のために働くのが、人々にとって当たり前になる。

いったん共同体的な絆から解き放たれた諸個人が、自分の生を組織のために捧げるというのは、一見奇妙なことのようにも思えるが、現実問題として、人々の生活に必要なもの全てが「資本」を介して生産され、かつ、そのフィードバックとして、人々が「資本」が提供するもの（だけ）を消費して生活することが習慣化すると、「資本」のメカニズムから外れて生きることは困難になる。経済面から他律的に生きることを余儀なくされた人たちは、精神的にも――日本の会社人間に見られる――資本の目的に従属するようになる。

先に見たように、（西欧）近代人たちの間に、〝自分を超えた大いなるもの〟のために懸命に生きることで不安を払拭しようとするメンタリティを準備したのはプロテスタントの教義である。

事業において一定の成功を収めた後、その成果を自分の欲求のために浪費せず、「資本」として蓄積し、更なる事業のために投資し続けるには、〝人間を超えたもの〟に献身する、宗教的ともいえる、「禁欲主義 asceticism」と「犠牲的態度 submission」が必要だ。プロテスタントの信仰を持った初期の資本家にとって、禁欲と犠牲を要求する「資本」は、ある意味、神の代理であった。自らを卑しめ、神の摂理のための道具と見なして酷使する信者としての姿勢が、「資本」の運動の道具になり切る企業家の姿勢にそのままシフトし得たのである。

ただ、いったん「資本」の回転と個人の心理を繋ぐメカニズムが出来上がり、当該社会の生産体制の中核を担うようになれば、信仰のあるなしに関係なく、その社会に生きるあらゆる人を巻き込み、自動的に運動し自己拡大し続けることになる。これは、ウェーバーが近代人を捉える「鉄の檻 stahlhartes Gehäuse」と呼んだものである。

利己主義と自愛

無論、このように説明しても、疑問は残る。資本主義の企業家たちは「利己性 selfishness」によって動かされているのであって、神の摂理のために進んで自己を捧げようとする、プロテスタンティズムの「非利己性 unselfishness」とは真逆ではないのか？この点についてフロムはやや込み入った心理学的な説明をしている。

彼はまず、「利己性」と「自己愛 self-love」を同一視したうえで、自分を愛することは「罪」であり、他人を愛するのは「徳」だと考えがちである。

しかし、それは「愛」の本質の誤解であり、この誤解による先入観ゆえに、プロテスタンティズムと資本主義の心理面での親近性が見えにくくなっているのである。フロムの定義では、憎悪が破壊への激しい願望であるのに対し、「愛」は、対象の情熱的な肯定（passionate affirmation）である。

すなわち愛は「愛着 affect」ではなくて、その対象の幸福、成長、自由を目指す積極的な努力と内面的な繋がりである。それは原則として、自分自身を含めたあらゆる人や事物に向けられるよう準備されている。排他的な愛というのは、自己矛盾である（一三一頁）。

フロムの言う「愛」は、自分が内的に深い関わりを持っている対象——家族、恋人、友人、ペットや家畜、道具、自分自身など——を幸福で自由にし、発展させていこうとする、外に向かって開かれたポジティヴな衝動だ。

相手をとにかく自分のために独占することは、相手の発展のためになるとは限らず、むしろマイナスになる場合が多いわけであるから、それを分かって、あるいはそういう可能性を考慮に入れることなく執着する態度は、「愛」ではない。

また、ただ一人の人間や対象にしか向かわず、それ以外のものに無関心になるような〝愛〟は、その主体を内向きにし、経験を乏しくすることになり、相手にとっても自分にとっても、プラスの発展には繋がらない。そういうものは、サド・マゾヒズム的な執着にすぎない。

フロムにとって「愛」とは、「人間」という存在に対する愛として、各人に備わっているものである。ただし、それは、様々なタイプの他者たちとの具体的な接触を通して培われる。
それに対して、「利己性」は「貪欲 greediness」の一種であり、決して満たされることがなく、常に不満の状態にある。決して満足することがない、底なしの欲求なので、「利己性」が働くと、人はどんどん消耗していく。

よく観察すると、利己的な人は、いつでも不安そうに自分のことばかり考えているのに、決して満足せず、常に落ち着かず、十分な量を手に入れていないとか、何かを取り逃がしているとか、何かを奪われている、といった恐怖に駆り立てられている。彼は自分より多く持っていそうな人に対する燃えるような羨望で一杯である。更に綿密に観察し、特に無意識的な運動力学を観察すると、このタイプの人は、基本的に自分が好きではなく、深い自己嫌悪を抱えていることが分かる（一三二頁以下）。

つまり「利己性」が強い人は、世間の常識とは裏腹に、強烈な自己愛の持ち主ではなく、逆に、「自己愛」が欠如している人である。自分の現状に不満であり、自信を持てないがゆえに、常に不安である。だからいろんなものを獲得することで、自分の欠落を満たそうとするのだが、どれだけ獲得しても不安が解消されないので、貪欲に求め続ける。

これと同じようなことがナルシシズムにも当てはまる。物を得る代わりに、自分を賞賛することで、自愛の根本的欠如を埋めようとするのがナルシシズムである。

このような見方をすると、ルターやカルヴァンの教えに従って、自分自身の幸福を顧みず世俗内禁欲を実践することも、資本家たちが生活の全てを投入して、飽くなき資本蓄積の競争に身を投じることも、同根であるということになる。いずれも、あるがままの自分を肯定し、愛することができず、自分の在り方について不安であるがゆえの行動だと解することができる。

近代人が、自己の利益のために行為するのだとすれば、その「自己」というのは、社会的自己である。それは本質的に、その個人が演じるものとして想定されている役割であり、実際のところ、社会における人間の客観的な社会的機能を、主観的に偽装したものにすぎない。近代的な利己性は、現実の自己の欲求不満に根ざした貪欲であり、その対象は社会的自己である。近代人は極端な自己主張を特徴としているように見えるが、その一方、実際には、彼の自己は弱められ、全体的な自己の一つの部分——知性と意志力——に還元され、パーソナリティ全体の他の部分を締め出されている（一三四頁）。

哲学的すぎてとっつきにくい、という印象を受ける文章だが、見かけほど難しくはない。私たちが日常的に経験していることを正確に表現しようとしているだけである。ポイントは、私たちが自分自身について不安や不満を覚えるという時、その「自分」とは何なのか、ということである。

フロムは、それが「社会的自己」、つまり、社会を構成する他の人々の目から見た自己の在り方、決断力がある経営者とか、クールな法律家、穏やかな家庭人といった、その人の社会的なイメージだと見ているわけである。ネガティヴな言い方をすれば、社会的な評価、見た目を気にし、みんなに認められようとする。社会の中で認められる自分になるために頑張るのだが、何をやっても十分に認められたような気にならず、不安なままである。

他人に認められるような行動を取るため、利己的な人は一見強気に見えるが、実際には、ありのままの自分を出しているのではなく、他人の目に留まり、評価されることをしようとし、そこに力を集中せざるを得ない。受験や就職活動を念頭に置けば、分かりやすいだろう。禁欲的かつ勤勉な生活を営むプロテスタントの信徒たちも、実際には、神そのものではなく、神の目の代理を務める周囲の人々を意識していたのかもしれない。

近代人は、資本主義的な世界をつくり出し、自らがその世界の主人であるかのような幻想を抱いているが、実際には、経済システムの発展に奉仕するしかない僕《しもべ》である。彼は、どうにかして、他者たちから評価を得ようとして競争し、自分自身を切り売りする。肉体労働者は肉体のエネルギーを、ビジネスマン、医師、事務職員などは「人格 personality」を売って生きている。

自らを商品として、他者からその価値を認められることに生き残りがかかっているので、自分を売る人たちはあたかも自分に価値があるかのように一見強気である。しかし実際には、「社会的自己」は他人の評価に依存しており、自分の心持ちだけでは自分に自信を持てず、他人が自分を評価してくれるかどうか常に心配している。

だから財産、名誉、権力を求めざるを得ない。それら外的な支えがない人には、その中では王侯のように振る舞うことができる家族が個人的威光を、国家や階級がそれに属していることへの誇りを与えてくれるかもしれない。

しかしこのような支えは、「弱体化した自己 the weakened self」の不安や懸念を一時的に埋め合わせるにすぎない。

これは近代における、「消極的自由」から「積極的自由」への進化の過程で生じた負の側面である。中産階級が古い秩序に打ち勝ち、政治・経済的自由、個人的なイニシアティヴの機会、合理主義的な啓蒙を促進したことで、各人の自己を強め、個性、独立性、合理性を発展させたことは確かである。

しかし、（プロテスタントがその成立に寄与した）資本主義社会で生き延びるには、本当に自発的に獲得した個性、独立性、合理性ではなく、他人がその人の〝個性〟〝独立性〟〝合理性〟と認めてくれるものを身に付けて、自己アピールしなければならない。入社試験のためのエントリー・シートのアピール・ポイントのようなことを考えれば、分かりやすいだろう。

資本主義社会の中で、「積極的自由」のための新しい関係性・環境をつくり出そうとすると、結果的に、匿名の他者たちの視線に依存することになる。

大衆社会の不安

フロムの観察では、こうした「積極的自由」の逆説は、二〇世紀に入った前後から決定的に強まった。現代資本主義―大衆社会では、自立した人が充実した幸福な生活を送るのは困難になり、個人の自己は一層弱体化し、無力感や孤独感が急速に増大する。

その要因としてフロムは、独占資本を中心に経済活動全般が組織化され、個人の創意、勇気、知識によって成功を収めるのが困難になり、人間の経済的独立が損なわれたことを指摘している。

これに加えて、一九二三年の（敗戦からまだ立ち直っていなかった）ドイツを襲ったインフレや、二九年のアメリカ発の大恐慌のようなことが起こると、不安が強まり、自分の努力で前進し、未来を切り開けるという希望を持てなくなる。

かつての典型的な中産階級、例えば、食料品店の主人や洋服を作る仕立屋は、多くの知識と熟練に基づく職業であった。彼らは自分の経験に基づいて、品質と値段の両面で最善の仕入れ先を選び、個々の顧客の相談に乗り、信用取引をしていいかというような判断をしていた。

これと対照的なのが、現代のガソリン・スタンドのオーナーである。彼が売る商品は石油とガソリンだけである。彼は製油会社との契約に縛られ、自動車への給油のための手順が決まった作業を毎回繰り返す。熟練、創意、個人的活動が入り込む余地は、食料品店の店主と比べて遙かに少ない。彼の利益は、ガソリンと石油に対して支払わねばならない価格と、ガソリン・スタンドに停車する車の台数という二つの要素によって規定される。いずれも彼がコントロールすることはできない。彼は、巨大な経済機械の歯車にすぎない。

大企業の拡大とともに増大したホワイトカラーの労働者も同じような立場に置かれている。彼らは見かけ上は肉体労働者と違って、新たな知識を獲得し、創意工夫する可能性を与えられているが、実際には経済機械の歯車として、割り当てられた特殊化された仕事を続けるだけである。

大衆社会で個々人が無意味な部品化するのは、職業人としての側面においてだけではない。消費者としても画一的な振る舞いを強いられる。独立した商人の小売店を訪れていた顧客は、店主から重要なお客として迎えられ、個人的なニーズに応じてもらうことができた。それに対して現代のデパートを訪れる顧客は巨大な建物、従業員の数、膨大な商品の量によって圧倒される。彼は不特定多数の「顧客 customer」という抽象的な存在のうちの一人にすぎず、デパートにとって何ら具体的な意味を持たない。

この状態は広告によって更に強められている。小売りの商店主は自分が売っている商品がどういうもので、顧客のニーズもよく知っていて、その知識に基づいて売ろうとした。顧客が納得するような理性的な話し方で語りかける。現代の巨大な広告はこれとは全く異なる。

それは理性ではなく感情に訴える。催眠術の暗示のように、その目的物をまず感情的に印象付け、それから知的に説明する。このような広告方法はあらゆる手段で顧客に印象付けようとする。同じ文句を何度も繰り返したり、社交界の婦人や有名なボクサーに、あるブランドの煙草をくわえさせ、権威あるイメージの影響を利用したり、きれいな女の子のセックス・アピールによって顧客を引きつけると同時に彼の批判する能力を弱めたり、「体臭」や「口臭」のことで脅したり、更には、一枚のシャツや一個の石鹸を買うことで、何か全生涯が突然変化するような空想を刺激したりする。これら全ての方法は本質的に非合理的である。これらのやり方は、当該商品の性質とは関係なく、阿片や完全な催眠術のように、顧客の批判する力を窒息させ殺してしまう。それらは映画のように、白昼夢的な性質によってある種の満足を人間に与えるが、同時に、自分の卑小さと無力さの感情も増大させるのである（一四五頁）。

フロムにとって現代の商業広告は、（ヴァーチャルな現実をつくり出す）映画のように、私たちの知覚に直接働きかけ、批判的思考を麻痺させ、作り手の思いどおりに受け手を操ることを可能にする媒体である。

広告は、人々がはっきり気付かないうちに、消費生活における自由の範囲を実質的に狭めていく。人為的に欲望をつくり出すことが可能だとすれば、広告に支配されている人は、他者から操られていると感じず、自分の欲望のままに、少なくとも消極的な意味で自分は自由だと感じるだろう。

近代の経済学は、自分のニーズを把握して、それを最も効率的に実現する手段を見いだす主体同士の取引として「市場」を捉えてきたが、様々なメディアによるイメージ戦略を駆使する広告は、その前提を崩してしまう。

無論、これは消費に限った話ではない。二〇世紀以降の政治では、(少なくとも男性の)普通選挙が実現したのに伴って、巨大な全国組織を持つ政党が結成され、それらが政治の担い手になった。有権者一人一人が政党の方針に与えられる影響は、民主主義の初期に比べて極度に縮小する。ごく普通の人である一党員や支持者が、政党の集会に参加しても、発言の機会はほとんどない。仮にごく短い時間発言を許されても、それが、既に党の執行部でほぼ決まっている基本方針に修正を加えることのできる可能性はほぼない。

候補者でさえ、党の方針を受け入れ、それに同化するかしないかの選択を迫られる。政党と支持者の関係は、巨大企業と顧客の関係に似てくる。更に、ラジオや映画などの宣伝手段を用いることが可能になった二〇世紀以降の政治においては、政治家たちは、少数の政治的意識の高い有権者を論理的に説得するのではなく、党が決めた印象的な——本当に解決すべき問題とは関係ない——フレーズを繰り返す。それによって有権者の批判力を麻痺させ、無意識に刷り込む。

そこにメディアの発展という要素が加わる。自分の家で心理的に無防備な状態になっている不特定多数の人に、定型フレーズを聴かせることのできるラジオは、大きな宣伝効果を発揮した。

フロム自身はラジオにしか言及していないが、ナチスは映画も大いに活用した。女優出身の映画監督レニ・リーフェンシュタール（一九〇二―二〇〇三）は、ヒトラーの直接の依頼で、ナチス党大会の記録『意志の勝利』（一九三五）とベルリン・オリンピックの記録『オリンピア』（一九三八）という二つの有名なドキュメント作品を製作した。この二つは、民族的な自覚によって一体化し、一つの――「民族」を象徴する――巨大な身体を共有しているかのように見える「群衆」の姿を映し出していることが特徴である。エクスタシーの中で激しく同調し一体となって動く「群衆＝民族」の姿を見た観客は、その光景を冷静に見つめ、その意味を批判的に見ることなく、自らもそれに加わりたいと感じさせられる。

レニ・リーフェンシュタール（映画監督、写真家、元女優。主な著作に『回想』がある）

1934年にレニ・リーフェンシュタールが監督・製作したナチスの記録映画『意志の勝利』。ナチスを正当化し、国威発揚のプロパガンダ映画として機能したとされた。

ミッキーマウスの心理

現代（二一世紀）では、広告やマス・メディアが大衆に暗示的機能を及ぼすという議論はいろんなところで目にする、ありふれたものになっているが、ラジオや映画が登場したばかりの二〇世紀初頭においてはそうした評価は定まっていなかった。

例えば、フロムと同じくフランクフルト学派と呼ばれるネオ・マルクス主義――分かりやすく言うと、マルクス主義の唯物史観・資本主義批判に、精神分析の理論を組み込んで、資本主義的社会に生きる人間の心理を分析の視野に入れた

ヴァルター・ベンヤミン（文芸批評家、哲学者。主な著作に『パサージュ論』『ドイツ悲劇の根源』がある）

新しいマルクス主義——の学者のグループに属していたベンヤミン（一八九二－一九四〇）は、新しいメディア、特に映画はクローズアップやスローモーション、撮影角度の切り替え、モンタージュなどの技法によって、人間の知覚を刺激し、人々がより多様かつ批判的に物事を見ることができるようにしてくれる可能性があることを示唆していた。無論、ファシズムが新しいメディアの力で人々の心を呪縛する恐れがあることも指摘しているが、基本的には、解放への期待を寄せていた。

　ベンヤミンの友人であり、戦後ドイツのフランクフルト学派のリーダーになったアドルノ（一九〇三－六九）は、映画や広告などの文化産業のつくり出す幻影によって刹那的に欲望を充足した気になる大衆の覚醒については懐疑的であった。アドルノはむしろ、新しいメディアが大衆を、原初的な神話的世界観へと退行させる——フロム的に言うと、自由から逃走して、原初的な絆へと退行させる——可能性を指摘した。

フロムもかなり悲観的である。彼は、様々なイメージや音声によって絶えず無意識に刺激が与えられる現代の都市空間の中で、人々は独立心を失い、自分で自分を支配することができなくなりつつあると指摘する。そうした彼のメディア観が端的に表れているのは、ミッキーマウス論だ。

ミッキーマウスは、トーキー映画の草創期の一九二七年に、ディズニー映画のコンセプトを象徴する、愛らしいキャラクターとして創造されたが、彼が登場する作品をよく見ると、ドタバタ騒ぎの中で登場する動物たちが転んで身体をひどく打ち付けたり、棍棒状のもので殴られて意識朦朧《もうろう》となったり、身体を異様な形に捻《ね》じ曲げられたり、絞り上げられたりする。実写であれば、とてつもなく無気味なブラックユーモアの連続だ。

テオドール・アドルノ（哲学者、社会学者、音楽評論家。ナチスに協力した一般人の心理的傾向を研究）

ベンヤミンは、ミッキーマウス作品の随所に見られる残虐さや暴力は、日常的には異常なことが普通に起こる「夢の世界—無意識」の表現であるとしたうえで、それを作品化することには、危険な無意識を爆破する精神療法的な意味があると述べている。

フロムは、ミッキーマウスの具現する——必ずしも愉快なことばかりではない——「夢」を、職場でも消費の場面でも日常生活でも、機械の部品のように行動パターンを支配されている諸個人の状況と関連付けて次のように述べている。

> アメリカの平均的人間が、この同じ恐怖と無意味の感覚にどれほど満たされているかは、ミッキーマウス映画が人気を博している事実から、はっきり読み取れる。ミッキーマウスの一つの主題は——様々なバリエーションはあるが——常に以下のようなことである。すなわち、小さなものが圧倒的に強いものに迫害され、危険に晒される。強いものは小さいものを、殺したり飲み込んだりしようとする。小さなものは逃げ去り、結局逃亡に成功する、時には、敵に害を与えさえするのである。もしこのテーマが、人々の自らの感情生活に非常に密接な何ものかに触れるのでなければ、人々はこの同じ一つのテーマの様々なバリエーションを、いつまでも見続けることはないであろう。強力で、憎たらしい敵に脅かされる小さなものは、明らかに観客自身だ。それは彼がどのように感じているかの表現であり、彼が自分自身を同一視することのでき

る状況だ。しかし、当然のことながら、ハッピー・エンドがなければ、魅力は続かない。実際のところ、観客は自分自身の全ての恐怖と卑小さの感情を生きているのだ。そして最後に、彼はもろもろのことにもかかわらず、救われ、強いものを征服さえして、気持ちよくなるのである。しかし――そしてこれはこの「ハッピー・エンド」の重要、かつ悲しい部分であるが――彼の救済は、大抵、逃げ去る能力と、予測しがたい偶然による。巨大なものが彼を捕まえられないのは、その偶然のためなのだ（一四八頁以下）。

非常に分かりやすい分析だ。［小さくて追い回されるミッキー＝（映画館の外では、大きな組織の歯車になっている）観客］と、［ミッキーを追いかける大きな動物＝巨大な組織］が対置されている。観客はミッキーに感情移入して、自分を押し潰し、飲み込むかのように見える「巨大なもの」から全力で逃げ回っている気分になる。

各作品は、ミッキーの〝勝利〟で「ハッピー・エンド」に終わるように見えるが、フロムは、その〝勝利〟の危うさに注意を向けている。彼に〝勝利〟をもたらすのは、偶然と、「逃げ去る能力」という極めて消極的なものである、という。

つまり、相手に真正面から向き合わず逃げ回っているうちに、偶然によって、自由が得られるのを待つしかないわけである。ミッキーに象徴される、一般の観客＝大衆は、「消極的自由」の確保に常に汲々とし、いつか、巨大なシステムに押し潰されてしまう。自力で「積極的自由」(＝ハッピー・エンド)を確保することは難しい。

ミッキーマウス・シリーズの第三作で、最初のトーキー作品として大成功を収めた『蒸気船ウィリー』(一九二八)では、素朴な暴力的描写が目立ち、最後は怪物(船長)に捕まって船室に閉じ込められて、食事のための野菜の皮むきを命じられ、ミニーと結ばれることなく終わっている。後味はあまりよくない。

フロムから見て、大衆社会の人間は、ミッキーマウスのように、自分の置かれている状況から逃げ出そうとして、暴力的になり、暴れ回ったあげく、元の状態、あるいはより劣悪な状態に連れ戻され、ふてくされるしかないのである。

第四章

「逃避のメカニズム」を知る

サディズムとマゾヒズム

第一章で見たように、安定感を与えてくれていた第一次的な絆が断ち切られ、世界と対峙することを強いられ、無力感と孤独感に囚われた個人には、二つの選択肢がある。

一つは「積極的自由」への道、愛情と仕事を通して、自発的に世界と結び付く道である。この道を歩めば、彼は、独立と個人的自己の統合性を失うことなく、人間らしく、自然と調和して生きることができる。

もう一つは退行し、自らの自由と独立、自己の統合性を放棄する道である。耐えがたく思われる心理状態を取りあえず回避するための「逃走」である。

前章で見たように、宗教改革は、人々に信仰の自由を約束しながら、実際には、信徒たちが積極的自由を追求することを困難にし、神を代理する権威に絶対的に服従しようとするメンタリティをつくり出した。プロテスタンティズムが生み出した資本主義は、人々の消費生活までもコントロールする巨大なマシーンをつくり出した。フロムは、そうした逃避のメカニズムに囚われた人間の特徴を分析している。

彼らの共通の特徴は、「権威主義 authoritarianism」である。神のように、人々に行くべき方向性を示す「権威」をありがたがり、それに固執する傾向である。

「権威主義」は、個人としての自己の独立を捨てて、自己の外側の何かに融合し、第一次的な絆の代わりになるものを得ようとする衝動から生まれてくる。「権威主義」は、服従と支配への努力である。前者はマゾヒズム的、後者はサディズム的な様相を呈する。

マゾヒズム的な努力の根底にあるのは、劣等感、無力感、個人の無意味さの感情だ。彼らは自分を肯定せず、自分のやりたいことをやろうとせず、自分を小さくしようとする。

レオポルト・フォン・ザッハー＝マゾッホ（小説家。著作に『魂を漁る女』『残酷な女たち』がある）

そして、外の力が生み出す、リアルで確実な秩序に服従しようとする。

また、それに伴って、自分を傷つけ、悩ませようとする。自分を苦しめる傾向は様々な表れ方をする。まるで不《ふ》倶《ぐ》戴天《たいてん》の敵であるかのように自分を激しく非難・批判するとか、強迫神経症的に自分にとって苦痛な思考や身振りを反復する、肉体的に病的になろうとする、わざと事故を起こそうとする、試験にわざと落ちる、

リヒャルト・フォン・クラフト＝エビング（精神科医。1886年に『Psychopathia Sexualis』を公刊）

自分の愛する人に反抗する……。

因みに、「マゾヒズム masochism」という言葉は、一九世紀のオーストリアの貴族で小説家のレオポルト・フォン・ザッハー＝マゾッホ（一八三六－九五）に由来する。彼は自伝的小説『毛皮を着たヴィーナス』（一八七〇）で、相手から精神的・肉体的苦痛を与えられ、完全に僕《しもべ》として従属することに快楽を感じる倒錯した欲望の在り方を描いた。

同性愛や性的倒錯の研究で知られる、ドイツの精神医学者クラフト＝エビング（一八四〇－一九〇二）は、そうした欲望をマゾッホに因んで、マゾヒズムと名付けた。クラフト＝エビングは、精神疾患である性的倒錯の一種としてマゾヒズムを位置付け定義したわけだが、フロムはそれを、第一次的絆を失った近代人の多くが示す傾向と見たわけである。

これと反対に、他者を痛めつけることに快楽を感じるのが、サディズム的傾向だ。これもやはりクラフト＝エビングによる命名である。モデルになったのは、フランス革命期の貴族で、小説家のサド侯爵（一七四〇－一八一四）である。彼は女性に対する暴行や殺人未遂、肛門性交などの罪で投獄され、バスチーユに収監されたが、獄中で、キリスト教の偽善の暴露と、過激なエロティシズムをテーマとした小説を執筆する。フランス革命後、精神病院に移された後、解放されるが、彼が匿名で出版した小説『美徳の不幸』（一七九一、九七）と『ジュリエット物語あるいは悪徳の栄え』（一八〇一）が道徳的に問題視され、第一統領だったナポレオン（一七六九－一八二一）の意向で再び収監され、精神病院に移された。彼の小説では、他者に残酷な虐待を加えることで性的な快楽を覚える淫蕩な人物たちが、法や宗教を無視して、独自の欲望を追求する。

マルキ・ド・サド（フランス革命期の貴族、小説家。他著作に『ソドムの百二十日』がある）

フロムによると、サディズムには三つの種類がある。一つは、他人を絶対的に支配し、無制限の力を振るい、道具のように自在に扱おうとすること。第二は、他人を絶対的に支配するだけでなく、彼らを搾取し、利用し、盗み、腸《はらわた》を抜き取ろうとする、いわば、全てを奪い取ろうとすること。第三は、他人を苦しめようとする、あるいは苦しんでいるのを見ようとすることである。

一般的なイメージとして、サディズムはマゾヒズムより理解しやすいように思える。わざわざ自分を苦しめて快感を覚えるというのは、私たちの多くの日常的な経験からはなかなか実感しにくい。ほとんどの人間は、できるだけ苦痛を避けたがるはずではないのか、苦痛を喜ぶのはよほど変わった人ではないのか、と思ってしまう。それに対してサディズムのほうは、自分の快楽と安全を追求する人間の自然な傾向の極端な表れだと考えると、それほど不思議な現象ではないようにも思える。欲望を確実に充足するため、他者を徹底的に利用し尽くし、支配しようとするのだとしたら、むしろ合理的な行為のようにさえ思える。

しかしフロムは、サディズムの根底にはマゾヒズムに通じるものがあることを指摘する。それは対象への「依存 dependence」と「愛 love」である。マゾヒストの場合、自分を虐《しいた》げる相手に依存していることは歴然としているように思えるが、相手をただ物のように支配したいだけに見えるサディストも、実は、自分が支配する相手の存在に依存している。自分に従属してくれる人がいないと、強者としての自己意識、プライドを保つことができない。そのことを本人は自覚していないかもしれないが、彼は、自分の理不尽な要求を受け入れてくれる他者を必要としているのである。

一九世紀前半に西欧の哲学に大きな影響を発揮し、近代の社会・歴史哲学の骨格をつくったとされるヘーゲル（一七七〇－一八三一）は、『精神現象学』（一八〇七）で、「僕《しもべ》」を支配している「主」は、「僕」がいるからこそ「主」であり、「僕」の「労働」に依存して生きており、その意味で根源的な弱さを抱えていることを指摘した。

ゲオルク・ヴィルヘルム・フリードリヒ・ヘーゲル（哲学者。主な著作に『精神現象学』がある）

これは、具体的な社会的主従関係だけでなく、人間の自己意識の成り立ちそのものに関わる問題である。ある人が社会の中で自立した主体であるには、そのことを他者から認められる必要がある。子供のように未熟な存在や、理性的な判断能力を持っていない人は、あるいはそのような存在と見なされている人は、一人前の個人として扱ってもらえないので、そのように振る舞うことはできない。それだけではない。

会社員、公務員、教師、学者、ジャー

ナリスト、芸術家、思想家、政治家、父親、○○市民などの社会的アイデンティティは、自称するだけでは意味を成さない。

更に言えば、私たちの「私は△△である」という自己認識はかなりの部分、言語と身振り、儀礼、慣習、法制度など他の記号体系によって構築されているので、それらを介した他者とのコミュニケーションがなければ、自己認識は生まれない。「芸術」という言葉の意味内容を知り、自分がそれを実践していることを他者に認めさせなければ、「私は芸術家である」と認識することはできない。

そうした根源的な意味で、私たちの「主」体性は、他者に依存している。「主」的に振る舞おうとすればするほど、他者からそう認められる必要が生じる。フロムのサディズム観はその延長にあると見ることができる。自分が主体、力ある者であることへの承認欲求が無意識のうちに自然と充足されることがないため、(自分を認めてくれるべき)他者に対する虐待や暴力行為に及び、それによって〝主従〟関係を確かめざるを得ないのがサディストということになろう。

だとすると、サディストはサディズム的な行為に及べば及ぶほど、それを受け入れてくれる相手、見かけ上の、あるいは潜在的な〝マゾヒスト〟への依存を強めることになる。マゾヒストはマゾヒストで、いじめられることで、相手が自分を支配してくれていること、自分が相手に帰属していることを確認するという意味で、〝サディスト〟に依存している。

更にそうした「依存」の根底に「愛」があるとフロムは指摘する。サディストは自分が虐げている相手を愛していると意識していないことが多いが、その相手との関係が破綻しそうな時に、「愛」の感情が表面化する。これは女性を乱暴に扱う男、現代風にいうとDV男のことを念頭に置くと、分かりやすいだろう。

サディズム的人間は、彼が支配していると感じている人間だけを極めてはっきりと「愛して」いる。妻でも、子でも、助手でも、給仕でも、通りの乞食でも、彼の支配の対象に対して、彼は愛の感情を、いや感謝の感情をさえ抱いている。彼らの生活を支配するのは、彼らを愛しているからだ、と彼は考えているかもしれない。彼らを支配しているからこそ彼は彼らを現に「愛して」いるのである（一六四頁）。

「彼らを支配しているからこそ彼は彼らを現に『愛して』いるのである」というのは禅問答のように聞こえるが、要は、サディストにとって、対象を支配下に収めていて、一〇〇%自分のものだと感じられることが「愛」なのである。

その逆に、マゾヒストにとって、相手のものになっていると感じることが「愛」なのかもしれない。だとすると、共通の本質は、相手と〝一体〟になっていることであり、それは「愛」一般について言えそうなことである。

ただ、サディストやマゾヒストの場合、通常の大人のコミュニケーションではなく、肉体的・精神的な暴力のような露骨なこと、極端なことをやって、確証しないと気が済まないわけである。そうでないと、「愛している／愛されている」ことにならないのかもしれない。

サド・マゾヒズムの根源

このような見方をすると、サディストやマゾヒストは、通常のコミュニケーションでは「愛」を感じられず、強烈な力の行使を伴う激しい接触、というぶつかり合いによって、互いの「愛」を確認しようとする、ある意味、幼稚な人たちに見えてくる。フロム曰く、マゾヒズム的倒錯でしばしば求められるのは、幼児のように取り扱われ、話しかけられ、あるいは様々のやり方で叱責を受け、辱められることによって、「精神的に」弱くされることである。サディズム的倒錯においては、これと対応する方法で、すなわち、他人を肉体的に傷つけ、綱や鎖で縛り付け、行動や言葉で辱めて、満足感を覚えている（一六六頁）。

つまり、マゾヒストやサディストの示す、普通の大人には理解できない非合理的で残酷な行為あるいはそのやり取りは、自分の身体や情緒を制御しきれていない幼児の〝愛情＝安心〟を確認する行為の延長にあるのではないか、と思えてくる。

クラフト＝エビングは、サディズム、マゾヒズム双方とも性的倒錯として分析していたが、精神分析や社会心理学では、直接的に性的なものだけではなく、広い意味でのサド・マゾヒズム的な振る舞い全般を、幼児期の体験あるいは全ての人間に潜在的に備わる衝動に起因する社会的性格や傾向と見て、原点に遡って解明することが試みられるようになった。

フロイトは当初、サド・マゾヒズムを、幼児期における性本能の発達過程において現れてくる「部分欲動 partial drive」が固定化したもの、あるいはそうした衝動に支配される状態への退行と見ていた。「部分欲動」というのは身体の一部に局所的に現れる「欲動」のことであり、幼児が肛門や唇を使って、身体をどこかに擦りつけたり、執拗に触ったりするなど、妙な刺激を求めているかのように見える悪ふざけをするのは、その現れだ。

それが、目の前にある他者の身体に向けられれば、サディズム、自分の身体に向けられるのが、マゾヒズムということになる。幼児はそれによって、リビドーの充足による刺激の原初的な体験をすることになる。

これらは本来、リビドーが十分に分化されていない幼児期の一時的な現象のはずだが、性本能の正常な発達が妨げられると、大きくなってもやめられない、あるいは、何かのきっかけで、再びやるようになる。フロイトはそう解釈していた。

しかし後期のフロイトは、見解を変え、「死への欲動（タナトス）Todestrieb＝Thanatos」によってサド・マゾヒズムを説明することを試みている。人間は、母の胎外に出た瞬間から緊張に満ちた生を送ることを強いられる。私たちは常にその緊張を逃れようとする。

この観点に立てば、快感とは、緊張から解放された状態であり、緊張＝不快が減るほど快感を得られることになる。人間を根源的に動かしている「欲動」というのは、生による緊張のない状態、活動ゼロの状態、つまり、「死」に向かっているのかもしれない。それが「死への欲動」である。

無論、「死への欲動」が直接的に発動すれば、生きていられないし、「死」に至るには多大な苦痛が伴う。通常は、様々な危険や苦痛に抗して、自己の生命を（当面）維持し、生の中で快感を得ようとする「生の欲動 Lebenstrieb」も働いていて、二つの欲動の間で均衡が取れている。

戦争体験など、死に直面する強烈な体験があると、「死への欲動」が表面化し、その体験を心的に反復することがある。後にＰＴＳＤと呼ばれるようになった現象である。

後期フロイトは、そうした「死への欲動」の破壊的な傾向が、リビドー的なものと融合したところに、サド・マゾヒズムが生じるという見方をするようになった。

この場合も、サドかマゾかは、破壊の対象が自己の身体か他者の身体かの違いである。身体を攻撃することによって、ある程度の性的快が得られれば、「死への欲動」は緩和され、「死」という目標は先延ばしされることになる。

フロイトに影響を受けた人たちは、これとは違う解釈を示した。近年日本でも「嫌われる勇気」の人として知られるようになったアドラー（一八七〇－一九三七）は、幼児の肉体的な劣等性や一般的な無力感に対する反作用として、サディズムを捉えている。自分の弱さを克服するための力への願望が、サディズムとして現れるわけである。ライヒは、マゾヒズム的人間は、快楽を求めているのであり、苦痛はその副産物であって、目標それ自体ではないという見方を示した。

では、それらを踏まえてフロムはどう考えたのか。マゾヒズムやサディズムは、「無力感」や「孤独感」から逃れようとする個人のあがきに起因する。ここまで見てきたように、フロムは近代人の「無力感」や「孤独感」を強調するが、ここではそれらへの恐怖は、全ての人間の無意識に潜んでいることを示唆する。個人は常に、否定的な意味で「自由」を感じている。それは、第一次的絆から解放されている、あるいは追い出されている、という感覚である。

　フロムはこれが、人間の自己意識にまつわる普遍的現象であることを示すため、ドストエフスキー（一八二一－八一）の『カラマーゾフの兄弟』（一八七九／八〇）の第五編第五章で、イヴァンが語る大審問の物語の一節を引用する。地上に再びやって来たイエスに対して、大審問官は、おまえが「自由」という耐えがたいものを与えたがゆえに、人間は苦しみ続けている、私が地上から自由を取り除き、代わりにパンを与えてやったというのに、おまえは今更何をしに来たのだ、と責める。「人間という哀れな生き物は、もって生まれた自由という賜物を、できるだけ早く、譲り渡せる相手を見つけたい、という強い願いだけしか持っていない」。大審問官は、全

ヴィルヘルム・ライヒ（精神分析家、精神科医。主な著作に『ファシズムの大衆心理』がある）

体主義の先駆者であるかのように語る。

フロムによると、マゾヒズムは他者に自由を譲り渡す一つのやり方である。

> マゾヒズム的あがきの様々な形は、結局一つのことを狙っている。個人的自己から逃れること、自分自身を失うこと、言い換えれば、自由の重荷から逃れることである。この狙いは、個人が圧倒的に強いと感じる人物や力に服従しようとするマゾヒズム的なあがきの内にはっきり現われる（一七〇頁）。

フロムの見方では、マゾヒストの目的は「自由の重荷」から逃れることであって、苦痛を受けることそれ自体ではない。苦痛を受けることは、自己の現状を忘れるための手段にすぎない。これは性的倒錯という形を取る狭義のマゾヒズムの場合でも同じである。自己からの逃避が性的感情、肉体的刺激と結び付いている点が、他の場合と異なっているだけである。従って、単に無駄に苦痛を受けるだけに終わり、自己の現状から逃れられなかったら、余計に無力感に囚われることになる。

ここまで見てきたように、無力感や孤独から解放されるうえで極めて効果的な要素がある。

個人的自己を無化し、耐えがたい無力感に打ち克とうとする試みは、マゾヒズム的あがきの一面にすぎない。もう一つの面は、自己の外部の一層大きな、力強い全体の一部となり、それに没入し、参加しようとする試みである。その力は個人でも、制度でも、神でも、国家でも、良心でも、あるいは心的強制でも、何でもよい。揺ぎなく強力で、永遠で、魅惑的であると感じられる力の一部となることによって、人はその力と栄光に参与しようとする。人は自己自身を屈服させ、自己と繋がる全ての力や誇りを投げ捨て、個人としての統一性を失い、自由を放棄する。しかし彼は、彼が没入した力に参加することによって、新しい安全と新しい誇りとを獲得する。また彼は疑惑という責苦に抵抗する安全性も獲得する（一七四頁）。

マゾヒズム的な苦痛は、自己の外部にある「大いなる全体」の一部となって、個人として生きる苦痛から解放されるための、テストのようなものだというわけだ。

既に見たように、救いに関する不安に駆られるプロテスタントたちの禁欲的生活は、その「大いなる全体」が、全知全能の神で、文字どおり、全てを予め定めている神である場合だ。彼らは、神の前で徹底して自己否定することで、神と一体化しようとする。そして、神からの召命（＝与えられた職号）という想定の下で、禁欲的に（＝自分を虐げながら）取り組んだ事業で成功を収めれば、それを、救いの証拠と見なす。

そこから類推できるように、マゾヒストは、プロテスタントにとっての資本主義的成功に相当するようなテストを、自分がパスした者であるという証拠を求める。性的倒錯としてのマゾヒズムであれば、残虐なことを平気で実行できる相手が自分にかまってくれていることが、取りあえずの証明になる。

しかし、通常のマゾヒズム的な体質の人間は、なかなかはっきりした証明を得ることはできない。いくら卑下しても、相手にちゃんと受け入れてもらっているかどうか分からないし、その相手が自分を救ってくれる「大いなる全体」と繋がっているように思えることはめったにない。

その点、ナチスのような好戦的・排外主義的な全体主義政権であれば、侵略行為や他民族の迫害による勢力拡大が、その証明になり得る。

しかしいずれにしても、マゾヒズムによって得られる絆は、「第一次的絆」ではない。「第一次的絆」は個性化が完結する前の自然な絆だが、マゾヒズムは、既に絆から解き放たれてしまった個人による逃避である。解放前の状態に時計の針を戻すことはできない。

マゾヒストは、しがみつこうとする力と一つになることはできず、無力なアトムであるという現状に変わりはない。そのため、マゾヒズム的な依存に打ち勝って、再び自由になろうとする衝動は、たとえマゾヒスト本人が自覚していなくても残り続ける。

では、サディズム的衝動の本質は何か？

この場合も、他人に苦痛を与えようという願望がサディズムの本質ではない。相手を完全に支配すること、相手を自分の思いどおりになる無力な存在にすること、彼にとっての神になり、思うように操ることである。

これは一見、マゾヒズム的傾向とは真逆であるように見えるが、フロムは、両者は心理学的には一つの基礎的な欲求の表れと見る。それは孤独に耐えられず、自分自身の弱さから逃げたいという欲求である。

フロムは、サディズム・マゾヒズム双方の根底にあるものを「共棲 symbiosis」と呼ぶ。

サディズム的人間は、マゾヒズム的人間が対象を必要とするのと同じように、対象を必要とする。ただ彼は、飲み込まれることによって安全を求めるのではなく、他者を飲み込むことによって安全を獲得するのである。どちらの場合も個人の統一性は失われる。一方では私は自己の外部の力の中に解消する。私は私を失う。他方では、私は他人を自己の一部にすることで自己を拡大するが、その際私は独立した自己として欠けていた力を獲得するのである。他人と共棲的な関係に入ろうとする衝動へと駆り立てるのは常に、自己自身の孤独に耐えるだけの能力のなさである。このことから、マゾヒズム的傾向とサディズム的傾向とが常に混じり合っていることは明らかである（一七六頁）。

つまりサディストもまた、自分自身が無力であると感じ、それが耐えがたいからこそ、個体としての自分の外の何かと一体化して、その不足を補おうするのである。マゾヒストも、サディストも、第一次的絆を失ったことに起因する、根源的な「欠如」感によって突き動かされている。その「欠如」を埋めるためには、「私」という存在の自立性を放棄し、他者との否応なしの「共棲」状態、お互いに常に依存し合うしかなく、その意味で、不自由な状態に自ら入り込んでいくのである。

権威主義的性格

先に見たように、サド・マゾヒスズムに共通に見られる傾向として、依存する相手に対する「愛」がある。ただし、それはある意味での〝愛〟であって、本来の「愛」ではない、という。では、どこが本来の愛と違うのか。

ここで、フロムが本来の「愛」をどう捉えているか確認しておこう。本来の「愛」とは、ある特定の人物の「本質 essence」の熱情的な肯定と、そうした本質を持った相手への積極的な関わりである。その際に、当事者双方の「独立 independence」と個としての「統一性 integrity」が前提になる。

サド・マゾヒズムの場合、不安から逃れるためにとにかく「共棲」状態になることが目標であり、そのために邪魔になる、各自の独立と統一性は放棄する。当然、お互いの「本質」をはっきり認めて、肯定するということはない。

マゾヒズムは、相手のために自己否定するので、「愛」だと勘違いされやすいが、本来の「愛」は「平等」と「自由」に基づく。その点では、マゾヒズムは「愛」と正反対のものである。サディズムもマゾヒズムも、相手からの「愛」を求めるが、結果的に、フロムの想定する「愛」の本来の形からかけ離れてしまう。

では、サド・マゾヒズムの本当の特徴は何か？

本来の「愛」の代わりに、互いの「独立」と「統一性」を犠牲にしての「共棲」を志向する、広い意味でのサド・マゾヒズム的な傾向は、全ての人に多少なりとも見いだされる。それが目立つ人と、さほど目立たない人の違いがあるだけである。また、そうした傾向の大小や目立つ度合いは、その人の社会的立場や、その国や地域の政治文化に左右される。ドイツやその他の西欧諸国の下層中産階級には、サド・マゾヒズム的傾向を強く示す人が多く、ナチスのイデオロギーは、主としてそうした人々に強く訴えかける。

フロムは、倒錯や神経症と診断されるわけではない、「正常 normal」な人々が示すサド・マゾヒズム的な性格を、「権威主義的性格 authoritarian character」と呼ぶことを提案する。サド・マゾヒズム的な人間の特徴は、「権威 authority」に対する態度に典型的に現れるからである。

彼は権威を讃え、それに服従しようとする。しかし同時に彼は自ら権威であろうと願い、他のものを服従させたいと願っている。さらにこの言葉を使うもう一つの理由がある。ファシズム的組織は、権威が社会的・政治的構造において支配的な役割を果たしているという理由で、自らを権威主義的と呼んでいる（一八二頁）。

では、「権威」とはそもそも何だろうか。

学問的権威とか宗教的権威、あるいは〇〇界の権威という場合の「権威」は、伝統的な慣習や制度に根ざしており、ある一定の資格や地位、知識を持っていることが前提になるが、フロムの言う「権威」にはそのような意味合いは含まれていない。

そのような「権威」は、ナチスのように、第一次世界大戦後の混乱の中で誕生し、党首であるヒトラーをはじめとして、あまり社会的なステータスが高くない人たちが指導した新興の政治運動にはほとんど縁がないだろう――ヒトラーはオーストリアの下級官吏の息子に生まれ、美術アカデミーの受験に二度失敗し、何年にもわたってボヘミアン生活を送った後、第一次世界大戦でドイツ軍に入隊し、負傷した上等兵として軍の病院で敗戦を迎える。フロムの言う「権威」は、あらゆる人間に潜む心理学的な傾向に対応するものであり、必ずしも、古くからの慣習や、既存の制度を前提としているわけではない。

「権威」は、ある特定の人物に備わっている属性ではなく、人と人の間の優劣関係に関わっている。「権威」は必ずしも、主と僕（奴隷）の関係のように搾取・抑圧的である（＝禁止的権威（inhibiting authority））わけではなく、師弟関係のように、愛情、賞賛、感謝を伴いながら下位の者が上位の者を模範として同化することを目指して努力していく中で、両者の距離が次第に縮まっていく場合もある（＝合理的権威（rational authority））。その意味で、「権威」に拘るのは必ずしも嘆かわしいことではない。また、具体的な制度や人間が権威を担うのではなく、個人の内面に、フロイトの言う「超自我 superego」のような形で、権威が形成されることもある。

プロテスタンティズムやカント倫理学は、「外的権威 external authority」を「内的権威 internal authority」に置き換えることを試みてきた。外的権威の削減は、自由の増大と表裏一体のように思えるが、フロイト理論の「超自我」論が示唆するように、「内的権威」は社会の要求を代弁し、個人に押し付ける役割を果たす。ルターやカルヴァンの神がそうであるように、「内的権威」は、しばしば「外的権威」よりも冷酷だ。また、常識のような匿名の権力もある。現代社会では、常識の他、科学、世論、精神の健康、正常性＝普通さ（normality）などの匿名の権威の影響が増大している。

「権威」それ自体は「自由」を否定するわけではないが、本人がはっきり自覚しないうちに各人の行動を特定の方向に誘導する「匿名的権威 anonymous authority」が日常生活を覆い尽くし、かつ、プロテスタント的な勤労の倫理による内面支配も強まっている現代社会では、「権威」が「自由」を圧迫する。そうやって「自由」を失い、「禁止的権威」に一方的に縛られているのが権威主義的人間だ。

いずれにせよ、フロムによれば、「権威」を生み出す最も重要な要因は「力」である。「権威主義的性格」の人は、「力 power」に関心を持つ。

権威主義的性格にとっては、全ての存在は二つに分かれる。力を持つ者と持たない者と。それが人物の力によろうと、制度の力によろうと、服従への愛、賞賛、心構えは、力によって自動的に引き起こされる。力は、その力が守ろうとする価値のゆえにではなく、それが力であるという理由によって、彼を夢中にさせる。彼の「愛」が力によって自動的に引き起こされるように、無力な人や制度は自動的に彼の軽蔑を呼び起こす。無力な人を見ると、攻撃し、支配し、屈辱を与えたくなる。異なった性格の者は、無力な者を攻撃するという考えにぞっとするが、権威主義的人間は相手が無力になればなるほどいきり立ってくる（一八六頁）。

権威主義的な人間は、「自由」を好まず、むしろ自分を超えた諸力（forces）によって束縛されることを好む。彼は自分の人生が、自分以外のもの、自分の意志を超えたものによって運命付けられていると信じている。だから彼にとって、その諸力に服従する以外に、幸福になる道はない。より正確に言えば、通常の意味での幸福は約束されていないとしても、与えられた運命を受け入れることを、自らの〝幸福〟と感じるのである。

フロムは、ナチスに強い影響を与えたワイマール時代の新保守主義者メラー・ファン・デン・ブルック（一八七六－一九二五）の著作『第三帝国』（一九二三）から以下のフレーズを引用している：「保守的な人間はむしろ破局を、破局を避けようとする人間の無力を、破局の必然性を、惑わされた信じやすい人間に最後に残される失望を信じる」。破局の運命を受け入れることを自らの幸福とするのは、極めて逆説的で、マゾヒスティックなメンタリティであり、カルヴィニズムの二重予定説の信仰を更に徹底して内面化しているように思える。フロムは、これと似たような言明は、ヒトラーの手記にも見られると指摘する。

権威主義の魔術

こうしたマゾヒスティックな〝悲観主義〟に注目すると、権威主義的な人間は弱気で引っ込み思案であるようなイメージが浮かんでくるが、フロムに言わせると、彼らは行動、勇気、信念に欠けるわけではない。彼らにとって、無力感を覚えることと、行動することは矛盾しない。彼らは大きな「力」によって、与えられた役割を演じるために行動する。彼は、宿命や指導者の命令がどんなに困難でも、それを耐え忍んで実行する勇気がある。彼は、自らにとっての「権威」が、力強く有無を言わさない命令を下す限り、それに従い続けようとする。強い「力」と一体になったという情動的な経験（emotional experience）が重要なのである。命じられる内容の合理性・合目的性は関係ない。

彼の信念は、結局彼の疑惑に根ざしており、その疑惑を補償しようとしている。しかし、もし信仰とは、現在潜在的にのみ存在しているものが実現されることを意味するなら、彼は信仰を持っていない。権威主義的哲学がしばしば、相対主義を克服したとかなり強く自称し、それを行動に表したとしても、それは本質的に相対主義的であり、ニヒリスティックである。それは極端な絶望や、完全な信仰の喪失に根ざしており、ニヒリズムと生命の否定に通じる（一九〇頁以下）。

これはドラッカーが『「経済人」の終わり』で、全体主義の特徴として指摘している点でもある──詳しくは、拙著『思想家ドラッカーを読む』（NTT出版）参照。権威主義的哲学は、人々を特定の信仰内容にコミットさせるのではなく、むしろ常識では実現不可能と思える目標を──論理的整合性・目的合理性を無視して──次々と呈示し、それを無条件で信じ、その実現のために行動せよ、と各人に迫る。

自律的に理性を働かせている状態であれば、見通しのなさ、一貫性のなさゆえに拒絶反応を起こしてしまうような理不尽な命令でも、何も信じることができず、不安と緊張でいっぱいいっぱいになっている人には、どういう意味があるのか分からない理不尽な命令を否応なく押し付けてくる「力」のほうが、信じられそうな気がする。

内容的な相対主義・ニヒリズムを、絶対的な信仰に転化させるという逆説的な構造を通して、権威主義の極致である全体主義は最大限の威力を発揮する。第一次的な絆の喪失による不安が、カルヴィニズム的な緊張を生み出し、それが更に全体主義の逆説にまで至ったのである。

フロムは、その社会心理史的プロセスに関心を寄せる。

「権威」が力強い（ように見える）がゆえに従うという権威主義的人間の哲学は、個人の「自由」を否定するだけではなく、個人間の「平等」も無効にする。「力」が同等でない者同士は平等ではあり得ず、弱い者は強い者に一方的に服従するしか生きる道はないのである。

性差別や人種差別も、「力」の観点から正当化してしまう。第一次的な絆を回復するために個人の独立や統一性を放棄するよう要請する権威主義の哲学は、近代市民社会の基礎である「自由」と「平

ピーター・ドラッカー（経営学者。「現代経営学」あるいは「マネジメント」の発明者とされる）

等」を掘り崩す。
ヒトラーのようなカリスマ的な「指導者」に対して〝自発的〟に全てを委ねてしまう人が大量に出現するのは、第一次世界大戦後のドイツのように、極端に危機的な状況下で生じることであって、普通の近代市民社会ではそういう体質の人は極めて少数であるように思える。そういう読者の疑問に対し、フロムは、理解しがたい「力」に頼る傾向が普通の市民にも無縁でないことを示すために、「魔術的助け手 magic helper」という概念を導入する。

「魔術的助け手」というのは、多くの人が漠然と感じている、自分の全生活を密かに導いている不可視で、基本的には匿名の存在Xである。Xは、私を保護し、助け、発展させ、孤立しないよう、いろいろと働きかけてくれる。

「魔術的助け手」はしばしば人格化される。神とか宇宙の原理のような抽象的な形を取ることもあるし、両親、夫、妻、恋人、身近な目上の人が「魔術的助け手」として想定されることもある、という。

このように例示すると、実際に身近にいる人が、〝助け手〟になるのはいいことであり、それは積極的な絆ではないのか、という気もするが、問題は「魔術的」ということである。つまり、生身の人間であれば、能力の限界があるので万事において助けになってくれるわけではない。

受験や就職活動でうまくいかず自暴自棄になっていて助けてほしいような場合を考えてみよう。特別な権力者でない限り、保護者や先生、先輩は現実的な意味ではあまり頼りにならない。気休めの言葉をかけてくれることしかできない。失業、破産、友人や恋人ができない孤独、病気や事故による障害、老化による心身の能力の低下…など、本当に助け手が欲しい状況で、本当の意味で、助けになってくれる人はいない。

また、相手が常に自分のことを気にかけ、本気で心配してくれるとは限らない。相手にも様々な事情や人間関係、心理状況がある。恋人に自分の全てを受け入れてもらおうとしても、そうならないことが多い。

にもかかわらず、自分にとっての特別な他者がどんな問題も解決してくれると錯覚することから問題が生じてくる。恋人は自分だけを絶対的に愛してくれる運命の人だと思い込むと、〝裏切られ〟、失望する。幻想だったと分かる。それまで「魔術的助け手」だと思っていた相手に反感を抱き、その相手から離れていく。徹底的に衝突することもある。そして、次の「魔術的助け手」を求めるようになる。「魔術的助け手」などそもそもいないとは考えない。

フロムはそうした人間が最終的にどうなるか明示的に語っていないが、自分を取り巻く不満だらけの現実と折り合いを付けることなく、失望するたびに、本当の助け手はもっと強く、常識的理解を超えているに違いないという思いを次第に強くしていけば、最後は、ヒトラーのような特殊な指導者に行き着くことになりそうだ。

権威主義的な人間の破壊性と画一性

権威主義的性格の核にあるのがサド・マゾヒズムだとすると、彼らの内には、サディズム的な破壊衝動、フロイトの言う「死への欲動」が働いているのではないかと思われる。フロイトと違ってフロムは、サディズムを「破壊性 destructiveness」と直接結び付けず、両者を慎重に区別している。サディストは、対象を破壊したいのではなくて、痛めつけることで相手に対する支配力を確認し、一体になりたいのである。当該の対象が本当に破壊されたら、大きな喪失感を抱えることになる。

その一方でフロムは、サディズムも破壊性も、孤独感や無力感に起因している点は共通していることを指摘する。外界に対する無力感を解消するため、自分の周囲にある外界を象徴するものを消去しようとする方向に欲動が向かうと、純然たる破壊衝動となる。

サド・マゾヒストにとっては、周囲の対象を破壊して徹底的に孤立するのは避けねばならないことだが、強引に同化を試みれば、結果的に相手を壊してしまうかもしれない。また、「魔術的助け手」に失望し続けて、自暴自棄になると、ヒトラーのような破壊的な方向に扇動する指導者に従い、破壊性を発揮することになるかもしれない。
フロムは「権威主義的性格」と「破壊性」を直接的に結び付けることは避けているが、(権威主義的な性格の人々を強く惹き付けた)プロテスタンティズムの信仰に「破壊性」が伴っていることを指摘する。

われわれはすでに、宗教改革時代の中産階級にあまねくいきわたっていた敵意について語った。その敵意は、プロテスタンティズムから生まれた宗教的思考、特にその禁欲的精神の内に、またある一部の人々に、彼の罪ではないのに永遠の罰を宣告することを善しとしていた、カルヴァンの無慈悲な神の姿のうちに現われていた。当時――また後の時代でも――中産階級は、その敵意を、主として道徳的公憤を装って表現していた。それは、生活を楽しむ力のある人間に対する、激しい羨望を合理化したものだった。現代では、下層中産階級の破壊性が、ナチズムを勃興させる重要な要因となった。ナチズムはこれらの破壊性追求に訴えて、それを敵に対する闘いに利用した。下層中産階級の内に見られる破壊性の根源は、これまで論じてきたように、個人の孤独と個人の拡張の抑圧ということによって、容易に理解することができる。この二つは、上層階級や下層階級よりも、下層中産階級にとって、一層切実なものであった（二〇二頁）。

「権威主義的性格」が「破壊性」を含んでいると一般的に言えるかどうかは別として、少なくとも、（近代初期における権威主義的性格の典型であった）カルヴァン派プロテスタントの間で培われた、「敵意」を含む倫理的な潔癖主義が、（権威主義の究極の形態である）ナチスにまで継承された、ということのようである。

カルヴァン派が、自分たちの宗派の内部、あるいは外部に向けていた潔癖主義が、ナチスの人種主義、民族の血の浄化という態度にまでエスカレートしていった、というのは図式として分かりやすい。

下層中産階級が主たる担い手であったというのも、確かにカルヴァン派とナチスに共通の特徴である。この階層の人たちは、競争によるプレッシャーに晒されやすい。近代初期における下層中産階級は、共同体的な基盤を奪われて、自分で事業を起こして、生き抜いていかねばならなかったが、創業と自由競争のための環境は十分に整っていなかった。

第一次世界大戦後のドイツの下層中産階級の人たちは、敗戦の余波と大恐慌の影響を最も強く受け、従来と同じような安定した職を得られず、不安に駆られていた。ドイツ社会に広がっていたプロテスタンティズムに由来する潔癖症的なメンタリティを最も強く継承していたのもこの層である。

そういうメンタリティを持った人たちが追い詰められた時に、「敵意」を向けるべき分かりやすい「敵」を指示してくれると同時に、（カルヴァンの神のように）非合理の権化であるような「権威」を誇示するナチスのイデオロギーに惹き付けられる、というフロムの図式には説得力がある。

ハンナ・アーレント（哲学者。ナチズムのドイツからアメリカ合衆国に亡命。著作に『全体主義の起原』がある）

こうした宗教的なメンタリティに由来する「破壊性」を「権威主義」と結び付けながら、「全体主義」の起源に位置付けるフロムの議論は、一九世紀初頭に確固としたものになった「国民国家 nation-state」的なアイデンティティが、帝国主義戦争と第一次世界大戦を経て解体していく過程の帰結として、「全体主義」を説明するとアーレントのそれとはかなり異質であるように見える。

アーレントは、フランス人やドイツ人、イタリア人、英国（ブリテン）人といった「国民 nation」単位のアイデンティティの形成が、近代国家の市民に共同体的な絆を提供すると同時に、そのアイデンティティの維持のために、非国民＝他者を排除するメカニズムを生み出したことを指摘した。そのメカニズムが壊れて、アイデンティティの拠り所、絆を失った人々が、明確な世界観を示し、新たなアイデンティティを与えてくれる強い指導者を求めるようになった——詳しくは拙著『悪と全体主義』（NHK出版）を参照。

フロムの議論では、「国民」としてのアイデンティティはさほど大きな意味は与えられていない。重要なのは、破壊性や権威志向を強める、階級ごとの心理的傾向である。

ただし、先に見たように、「国民」や「国家」がかなり長期にわたって各国の市民、特に下層中産階級にとって「魔術的助け手」の役割を果たしていたと考えれば、その安定化機能が失われたことによって、民族主義的な帝国の建設を目指して、ユダヤ人という他者を排除することで、力を示すヒトラーのような権威が求められるようになった、ということの説明がつく。フロムの深層心理学の面からの分析と、アーレントの政治・思想史的な分析は補完関係にあると見ることもできよう。

両者の全体主義論のもう一つの共通点として、自分の個性や自由を消して、社会という同質的な塊の中に溶け込もうとする大衆のメンタリティが、全体主義的支配の素地をつくったという見方がある。フロムは、孤独や無力を恐れる人は、個人的自己を捨てて、他の大多数の人と同じような自動人形（automaton）になりたがると指摘する。

私たちは元々、日常において周囲の他者の発言や新聞・広告などの影響を受け、同じような台詞を繰り返し見たり聞いたりしていくうちに、次第に刷り込まれ、それが自分の考えでもあるかのような気がしてくる。「自分の意見」を言うように要請された際に、そうやって何となく覚えた台詞を口にすると、それがあたかも元から「自分の意見」であったかのような気がしてくる。それを繰り返すと、本当の「自分の意見」になっていく。それは普段から起こっていることだが、孤独や不安の緊張が高まった状態だと、それが加速し、通常よりも強い同調圧力が働くようになる。

彼は本質的には、他人の期待の反映であり、ある程度自己の同一性を失っているので、彼には懐疑がつきまとう。こうした同一性の喪失から生まれてくるパニックを克服するために、彼は順応することを強いられ、他人によって絶えず許容され、承認されることによって自己の同一性を求めようとする。何故かと言えば、彼は彼が何者であるか知らないが、もし彼が他人の期待通りに行動すれば、少なくとも他人はそれを知ることになるからだ。そして、もし他人が彼を知っているならば、彼らの言葉を借りることで、彼も自分を知ることになるからだ（二二四頁以下）。

この引用の最後の文は印象的である。不安と孤独の中に生きる現代人は、自分が何者であるのか、自分では分からなくなっている。だから、他人の目に留まり、価値があると認められる行為をすることで、社会的に「承認 recognize」され、社会の中に位置付けられた誰かであろうとする。

そのために、他者が語る言葉、他者たちに認識され得る言葉を、いかなる反省も加えることなく、ひたすら模倣する。言葉を習い始めたばかりで、主体性なくひたすら模倣し、周囲の他者から「人間」的と認められるような状態になろうとする、幼児の状態にまで退行したかのようになる。

みんながそういう退行状態になり、お互いを無意識的に模倣しようとするようになると、一体誰の真似をしたら、何者かになれるのか分からなくなる。そういう状態だからこそ、人々に模倣すべき、揺るぎないモデルを呈示する「権威」が求められるのである。

第五章
「ナチズムの心理」を知る

ナチズムを生み出した状況

先に見たように、「権威主義的性格」と「自動機械」化は、全体主義がはびこりやすい土壌をつくり出す。フロムは特に下層中産階級にそれらの傾向が強く出ると見ている。

では、第一次世界大戦後のドイツではそれらの性格がどのように作用し、ナチス政権の誕生にまで繋がったのか。彼は二つのグループに分けて考える。一つは、ナチスのイデオロギーや政治的実践の賛美者にはならなかったものの、強く抵抗することなく、ナチス政権に屈服した人々のグループである。もう一つは、ナチスの新しいイデオロギーに惹き付けられ、狂信的に信奉するようになったグループである。

第一のグループは労働者階級や、自由主義的あるいはカトリック的ブルジョワジーである。フロムによると、彼らはナチスが政権を掌握する一九三三年までナチスに対して敵意を抱いていたが、ナチスの勢力の拡大を防ぐために有効な手を打つことができなかった。最後は、内的な疲労と諦めのため、あっさり服従してしまった。特に労働者階級に関しては、革命の挫折の経験が大きかった、という。

世界史の教科書に出ているように、第一次世界大戦でドイツの敗戦の直接のきっかけになったのは、キールでの水兵の反乱と、それに呼応しての各地での、一連のロシア革命の影響を受けた労働者と兵士の評議会＝レーテ（Räte）――「レーテ」は「ソヴィエト」のドイツ語訳――の結成と革命的蜂起である。

バイエルンではレーテによる革命政権が成立した。しかし、中央では、労働者政党でありながら、革命的共産主義者とは一線を画す社会民主党が、中道的なブルジョワ政党やカトリック政党と組んで連立政権を成立させ、レーテ革命を抑えにかかった。それに対して最後の反抗を試みたローザ・ルクセンブルク（一八七一－一九一九）やカール・リープクネヒト（一八七一－一九一九）などが率いるスパルタクス団がベルリンで、暫定政府に対して武装蜂起したが、政権側に敗れ、虐殺された。

ローザ・ルクセンブルク（マルクス主義の政治理論家、革命家。著作に『経済学入門』がある）

バイエルンのレーテ共和国は、共産党以外の左派が主導権を握っていたこともあって、社民党と共産党双方からの攻撃を受けて崩壊した。その後に共産党主導のレーテ共和国が誕生したが、中央政府の派遣した軍隊に敗れた。その後も、社民党中心の政権を打倒しようとする共産党の武装蜂起の試みがあったが、失敗した。

社民党は勝利者になったかに見えたが、重くのしかかってくる賠償金問題やフランス・ベルギーによるルール地方の占領、経営側からの攻勢による労働条件の悪化、アメリカ発の大恐慌など、次々と生じる問題にうまく対処できず、ナチスなどの右派政党に国政の主導権を奪われていった。革命と社会主義に対する労働者の期待は消えていった。それは、指導者への不信、政治的組織や政治的活動に対する深い懐疑に繋がっていった。

それに加えて、ヒトラーが政権を掌握して以降、ナチス党とドイツ国家の同一化が進められていき、ナチスに反対しにくくなったということがある。ナチス以外の政党は禁止され、ナチスの親衛隊と警察機構の統合が進められ、ナチス党の幹部が軍や政府の要職を兼任する形で、政府の主要な機関はナチス化された。

［ドイツ＝ナチス］と同一視されるようになったため、ナチスへの反対は、ドイツ国家あるいは民族への反逆と見なされ、権力から弾圧されるだけでなく、他の一般市民からも反発を受ける。本人たちにとっても、「ドイツ」という大きな集団から排除され、孤独になることは苦痛である。究極の孤独を回避するには、イデオロギー的な内容とは関係なく、振る舞いとして［ドイツ＝ナチス］に同化せざるを得なくなる。

こうした消極的な支持者に対して、小商店主、職人、ホワイトカラーなどの下層中産階級の若い世代は、ナチスのイデオロギーを積極的に支持した。指導者＝総統に対する盲目的な服従と人種的・政治的少数者に対する憎悪、征服と支配への渇望、ドイツ民族と「北欧人種」の賛美といった要素は、これらの階級の若者たちにとっては極めて魅力的だった。

ナチのイデオロギーが何故そんなに下層中産階級にアピールしたのかという問題の解答は、下層中産階級の社会的性格の内に求められねばならない。彼らの社会的性格は、労働者階級や上層中産階級や一九一四年の戦争以前の貴族の社会的性格とは著しく異なっていた。実際、下層中産階級にはその歴史を通じて特徴的ないくつかの特性があった。すなわち、強者への愛、弱者への嫌悪、小心、敵意、金についても感情についてもけちけちしていること、そして本質的には禁欲主義的ということだ。彼らの人生観は狭く、未知の人を疑い、嫌悪し、知人のことを詮索し、嫉妬する、しかもその嫉妬を道徳的公憤として合理化する。彼らの全生活は経済的にも心理的にも欠乏の原理に基づいていた（二三四頁）。

ここでフロムが描写している下層中産階級の社会的性格は、これまで見てきた、ルターやカルヴァンの影響を受けたプロテスタントのメンタリティを凝縮した存在であるように見える。第一次的な絆を失ったゆえの根源的な孤独と不安を、神のごとき大いなる力に全面的に服従することで埋め合わせようとする。その際に、自己を捨てることでマゾヒズム的な衝動を満たし、その力の代理（のつもり）になって他者を攻撃することでサディズム的な衝動を満たそうとする。

では、彼らは当時どのような状況に置かれていたのか。ワイマール共和国が安定してきた一九二四年から二八年にかけて、下層中産階級には、経済的に上昇するチャンスが与えられた。しかし、二九年の大恐慌でそれも一気に吹き飛んでしまい、先行きが見通せなくなった。ある程度経済的な余裕があったより上層の人たちや、労働組合と失業保険によって守られていたことに加え、元々貧困ラインぎりぎりのところにいたため失うものが少なかった労働者層と比べて、下層中産階級は不況によって受けたダメージが最も大きかった。より深刻な問題として、国家に対する信頼感への喪失ということがある。

皇帝を頂点とし、各領邦の君主や貴族が君臨する身分制の国家が崩壊したことで、それを支えてきた「小市民」たちの自負心も崩壊した。これまで尊敬の対象であった元皇帝や貴族出身の士官たちが嘲弄されるようになり、逆に、つい最近まで国家の敵とされていた社会主義者が閣僚となり、馬具職人であったフリードリヒ・エーベルト（一八七一－一九二五）

が国家のトップである大統領に就任するという、階層秩序の混乱の中で、何を信じていいか分からなくなった。労働者階級の社会的威信が高まったことで、自分たちは彼らよりは上である、という意識を持てなくなった。

インフレが進行して、自分たちが銀行に預けていた預金や、購入した公債が紙切れ同然になったことも、貨幣を発行する国家への不信感を増大させた。

フリードリヒ・エーベルト（ドイツ社会民主党の政治家、ドイツ国初代大統領）

更に、彼らの価値の基盤になっていた家族の機能低下も、下層中産階級が不満を抱えた大きな要因だった——社会心理学者であるフロムにとっては、最も注目すべき要因だと考えられる。社会構造の変化によって父親の権威と、父親が代表する古いモラルの権威は動揺した。帝国崩壊に伴う社会・経済構造の変化に対応し切れず、困惑するだけの古い世代は、若い世代にとって否定すべき対象になった。

先に言及した君主や貴族などの古い権威が制度的に消滅したことも、このことと関係している。君主や貴族、教会はそれまで、国民を導き、守る父親的な存在として表象されてきた。父親の権威はそれらの社会的権威を代理するものであり、逆に言えば、父親の権威の延長線上に社会的権威が成立していたと言える。

両者が同時並行するかのように一気に崩壊したのである。フロイト派精神分析の用語で言えば、「超自我」の二つの表象が機能不全に陥ったわけである。

下層中産階級の親の世代が国家や社会に対する恨みや憤りをためるだけで、消極的な反応しか示さなかったのに対し、最初から守るものがなく、かつ、権利意識の強い若い世代は、積極的に行動に出ようとした。しかし医師や法律家など、高収入が見込める知的職業の職業市場は既に飽和状態にあり、具体的な上昇のチャンスは少なかった。戦争に参加して、それに相当する報酬を得て当然だと思っていた若者たち、特に軍隊で将校クラスになって命令することに慣れていた人たちにとって、今更、事務員やセールスマンとして働くことは屈辱だった。

そうした彼らの欲求不満は、約束を果たさないワイマール国家、それを生み出した英米仏主導のヴェルサイユ体制に対する怒りへと集約されていった。それを打ち破る、真の権威を彼らは求めたのである。

一般的に、ナチズムは、古くからドイツ社会に根ざしたナショナリズムあるいは国家主義の極端な形態だと考えられがちだが、その主たる担い手となった下層中産階級の若者たちは、従来の国家や支配階級に対する失望から出発して、新しい国家の象徴を求めていたのである。

下層中産階級の代表ヒトラー

ヒトラーは1933年にドイツ国首相に指名され、一年あまりで一極集中独裁指導体制を築く。

そこで真の権威として浮上してきたのがヒトラーである。オーストリアの下級官吏の息子として生まれ、美術アカデミーの入試に二回も落ち、帝国軍の負傷した上等兵として二十九歳で敗戦を迎えたヒトラーは、挫折感を抱く若い世代の下層中産階級を代表する存在であった。

彼は追放者という立場を痛切に感じていた。彼は『我が闘争』の中で、自分自身について、青年時代には「何者でもない nobody」「知られることのない unknown」存在であったとしばしば語っている。しかしこのことは本質的には彼自身の社会的地位に起因していたのであるが、彼はそれを国家的象徴の中に合理化することができた。彼は帝国の外で生まれたので、社会的に排除されているというよりは、国家的に排除されていると感じ、ドイツの息子たち全てが帰って行くことのできる偉大なドイツ帝国が、彼にとっては社会的な威信と安全の象徴となった（二三九頁以下）。

自慢できるような経歴がなく、それまでほとんど無名で、いかにも、将来の希望のない〝典型的な下層中産階級の若者〟に見えるヒトラーが、名門出身の軍人や貴族、プロの政治家たちを圧倒して、新しい社会運動の指導者として登場したのは、下層中産階級の若者には希望に思えたのである。

このように下層中産階級は、こうした心理的な理由からヒトラーを支持したが、大工業の代表者たちや、ドイツ帝国の将校や官僚の大半を占めたユンカーと呼ばれる土地貴族などの有産階級は、経済的理由から彼を支持した。彼らは自らの現状にそれほど大きな不満を抱いていなかったが、社会主義者、共産主義者に代表される労働者階級や、ナチス支持の下層中産階級など、有産階級を敵視し、その特権を奪ってやろうとする勢力が増大し、民主的に選出された議会で多数派を占めるようになったことを脅威に感じていた。そこで有産階級は、下層の人々の怒りを脇にそらして、自分たちの特権を守ってくれる存在としてヒトラーに期待した。

フロムの見方では、そうした特権階級の期待は半ば当たっていた。ヒトラーとナチスの官僚機構は、大企業の言いなりになっていたわけではない。軍事産業への資源・人員の集中、強制的なカルテル結成、価格統制、産業力の戦略的強化のための四カ年計画とそれを実行するためのナチスのナンバー・ツーであるゲーリング(一八九三―一九四六)を長とする四カ年計画庁の設置など、企業の利益よりも国家の方針を優先する政策が取られた。

ヘルマン・ゲーリング(政治家、軍人、国家元帥。ニュルンベルク裁判で死刑判決後に服毒自殺)

しかしヒトラーは、ドイツ工業の最も有力なグループの利益を損なうようなことはしなかった。ヒトラーは、下層中産階級のメシアと見せかけて、百貨店の破壊や銀行支配の打破といった目標を掲げたが、実際にはその約束を果たさなかった。

ヒトラーは、その都度、自分の状況に応じて、最も都合のいいことを言う日和見主義者であった。フロムに言わせれば、明確な政治・経済の原理を持たず、徹底して日和見主義的であることこそ、ナチスの〝イデオロギー〟の特徴なのである。しかし、約束をそのまの形で実行しないとすると、彼らはどうやって不満を抱く下層中産階級の支持を保持し続けることができたのか?

まずナチスの党員になった者は、ナチスが国家機構と一体化していき、国家機構を使って上記のような経済政策を実行したことで、経済的分け前にあずかり、以前は上層階級が独占した地位に食い込むことができた。党員でない者でも、ユダヤ人や社会民主主義者などの政敵から奪った仕事があてがわれた。

そうしたパンの分け前にあずからなかった者も、「サーカス」を与えられた。それは、ユダヤ人などをいたぶるサディズム的な光景だ。この「サーカス」と、他の民族に対する優越感を与える人種主義的イデオロギーが、下層中産階級の経済的・文化的な貧困に対する不満を、少なくともしばらくの間は紛らわせることができたのである。

ヒトラーのパーソナリティ：サディズムとマゾヒズム

権威主義の本質は、「サディズム／マゾヒズム」だとするフロムの見方からすれば、ヒトラーが旧体制に代わる「権威」として民衆から崇拝されるようになったのは、彼自身のパーソナリティの内に二つの要素が含まれていたからではないかと考えられる。サディズム／マゾヒズムとはどういうものだったか、今一度、フロム自身の言葉で振り返っておこう。

権威主義的性格の本質は、サディズム的衝動とマゾヒズム的衝動との同時的存在として述べてきた。サディズムは、多かれ少なかれ破壊性と混合した他人に対する無限の支配力を目指すものと理解され、マゾヒズムは自己を一つの圧倒的に強い力の内に解消し、その力の強さと栄光に参加することを目指すものと理解される。サディズム的傾向もマゾヒズム的傾向も共に、孤立した個人が一人立ちできない無能力と、その孤独を克服するための共棲的関係への要求から生じる（二四三頁以下）。

『我が闘争』(一九二五/二六)には、ヒトラーの権力を求めるサディズム的渇望が様々な形で表現されている。サディズム的な破壊衝動は、当然、主として政敵に対して向けられているが、彼を支持してくれるドイツの大衆に対しても向けられた。彼は大衆を軽蔑しながら、同時に極めてサディスト的なやり方で「愛している」。

既に見たように、サディストは自らが虐げている対象に苦痛を与えるという形で愛情を示すのである。

フロムは、ヒトラーの大衆に対するサディスト的な態度が端的に表れている、以下の印象的な箇所を『我が闘争』から引用している。

「大衆が欲するのは強者の勝利と弱者の殲滅《せんめつ》あるいは無条件降伏である」「弱い男を支配するよりは強い男に服従しようとする女のように、大衆は嘆願する者よりも支配者を愛し、自由を与えられるよりも、自らに対抗する者を決して許容しない教義に、内心では遙かに満足を感じている。大衆はしばしば自由を与えられても、大抵、どうしたらよいかほとんど見当がつかず、簡単に自分は見捨てられていると感じる。大衆は教義全体の内に潜む狂気を決して予感することができないので、彼らは自分たちに仕掛けられる精神的テロの厚顔無恥も、自分たちの人間的自由が言語道断な扱いを受けていることも理解できないのである」（二四四頁）。

このようにヒトラーは、自由に耐えることができず、強い者に自発的に従おうとする「大衆 Masse」のマゾヒズム的性格を見抜いていた。

そして、その認識を「大衆」に向けて書かれた自らの著書の中で表明しているわけである――『我が闘争』が書かれたのは、ミュンヘン一揆（一九二三）に失敗して、投獄された獄中でのことである。自分がこれから、不寛容な鉄の教義によって「精神的テロ」を仕掛け、「男が女を支配する」ように支配してやろうとすると相手に、そのことを前もって告げているのだから、相手のマゾヒズム的体質を見越した、極めてサディスト的態度である。

ヒトラーは、演説の力によって聴衆の意志（will）を破壊することがプロパガンダの本質だと考えていた。

ヒトラーの演説

彼は、演説による意志の破壊が最大限の威力を発揮するよう、働いている人々の肉体的疲労がピークに達し、自分で考えようとする意志が最も弱まっている夕方に集会を開くのが効果的だと示唆する。

更に言えば、不特定多数の人間を集めた政治集会自体が、普段大企業の中で無力感を覚えながら働いている人たち、あるいは一人で仕事をして孤独を感じている人たちに、自分と同じような仲間が集まっているという幻想を与え、仲間が欲するものを自分も欲していると錯覚させ、暗示にかかりやすくする。自発的に判断できない状態に大衆を追い込むこと、そのことを当人に分かるように公言することが、ヒトラーにとって「指導者」の力量なのである。

フロムは更に、「指導者」の資質に関する国民啓蒙・宣伝相ゲッベルス（一八九七―一九四五）や労働戦線全国指導者ロベルト・ライ（一八九〇―一九四五）などの言葉を引用して、指導者は、生きた民衆を完全に支配することに喜びを見いだし、支配する対象がなければ意気消沈してしまうサディズム的体質――対象に依存しているという意味ではマゾヒズム的体質――を持っていることを指摘する。ナチスが政治の基本原理として掲げた「指導者原理 Führerprinzip」は、各レベルの指導者（Leiter）の意志に下位の者が全面的に従属し、公私にわたって生活の全てを委ねることを通して、各人が、ヒトラーを最高指導者（Führer）

とする「民族共同体」に組み込まれ（それがいかなるものであるかはヒトラー以外には誰も本当のことは分からない、あるいはヒトラー自身も知らないかもしれない）、民族共通の目標の実現に向かって全力で突き進むようになることを理想とする。

これは、政治的・経済的苦境の中で追い詰められた民衆の間に浮上してきたマゾヒズム的傾向を見込んだ、サディスト的な政治の原理だと見ることができる。

無論、民衆は単純に「マゾヒズム的」であるわけではない。これまで見てきたように、「マゾヒズム」性を強く示すのは、人間に元々備わっている破壊的傾向が自我によって抑制されなくなっているということであるから、それが自分ではなく、他者に対する「サディズム」として現れる可能性もある。「指導者」は、民衆の「サディズム的」傾向も利用する。

パウル・ヨーゼフ・ゲッベルス（ナチ党政権下の国民啓蒙・宣伝大臣）

「指導者」は第一に権力を享受する人間であるが、大衆も決してサディズム的満足を奪われてはいなかった。ドイツ内の人権的政治的少数派や、また最後には、弱小であるとか衰亡しつつあるとかされる他の諸国民が、大衆を満足させるサディズムの対象である。ヒトラーと彼の官僚は、ドイツの大衆を支配する力を享受するが、これらの大衆自身、他の国民を支配する力を享受せよと、また世界制覇の野望に駆り立てられろ、と教えられるのである（二四七頁）。

ドイツの民衆は、「指導者」が自分たちを道具のように扱い、力を享受するサディズム的態度をマゾヒズム的に受け入れながら、他方で、その「指導者」たちを真似て、〝民族の敵〟を自分たちの支配欲のための生贄《いけにえ》として残酷に扱い、支配することにサディズム的な満足も得ることになるのである。

こうした社会心理的な面から考えると、ユダヤ人や障碍者、共産・社会主義者を完全に排除して民族を「浄化」するとか、ヨーロッパ全体を支配下において、諸民族の空間的配置の絶対的な頂点にアーリア人が立つ秩序をつくる、世界をユダヤ人の陰謀から解放するといった、いかにも誇大妄想的で、歴史の流れに逆行しているような政策をナチスが次々と打ち出し、それを人々が支持したことにそれなりの説明がつく。

民衆は、「指導者」によって無理な理想を押し付けられ、実現のために酷使されるとともに、自分たちより〝弱い者〟の上に君臨し、残虐に扱うことに喜びを覚える。指導者と指導される民衆の間のサド・マゾヒズム的な関係を維持するには、世界制覇に向けての新たな戦略を常に打ち出し、迫害の対象を産出し続ける必要があったわけである。

ナチスの人種主義的な世界観が、ドイツ民族に浸透したのは、理論的に説得力があったからではなく、ルター以来のプロテスタントの伝統で培われ、第一次世界大戦の敗戦と大恐慌の影響下での不安によって極限まで強められた、サド・マゾヒズム的なメンタリティにフィットしていたからなのかもしれない。

ナチス思想の柱の一つに、(疑似)ダーウィニズムに基づく人種理論、アーリア人が、適者生存の法則による進化の頂点にあり、アーリア人の世界支配が人類全体の発展に繋がるという考え方がある。

フロムによると、ヒトラーは、ダーウィニズムをサディズム的に脚色し、自らの世界観を正当化するために利用している。ヒトラーは、弱肉強食の生存競争の原因である「自己保存本能」が、他人に対する支配という形で現れてくる、と主張する。

ごく普通に考えれば、自己保存するには、他人からの予期せぬ攻撃に対して身を守るだけでいいわけだが、ヒトラーに言わせれば、そのためには、相手を完全に自らの支配下に置かなければならない。人種の間のはっきりしたヒエラルキーが成立することが自然の摂理に適っているのである。

「ナチス」はその正式党名「国民社会主義ドイツ労働者党 Nationalsozialistische Deutsche Arbeiterpartei」が示しているように、本来、社会主義的な政党であり、自由競争とは相いれないはずである。

しかし、サディズム的に脚色したダーウィニズムの適者生存の法則を掲げるヒトラーは、国家機構によって人々の自由を縛って、平等を強制するマルクス主義的な国家観を徹底的に批判し、「自然の最も内的な欲求 dem innersten Wollen der Natur」に従って、「諸力の自由なせめぎ合い das freie Spiel der Kräfte」を復活させるべきと主張する。それによって「優れた者、強者の勝利 Sieg des Besseren, Stärkeren」と「劣った者と弱者の従属 Unterordnung des Schlechteren und Schwächeren」が促進されるからだという。

無論、先に見たように、政権を取って以降のナチスは四カ年計画などによって部分的に企業の自由活動を制約する政策を取っているし、そもそも、(個人ではなく) 民族的な勝者が予め決まっていて、その歴史のゴールの達成を目指すというのは、自由競争の理念とは矛盾しているように思える。

しかし、ヒトラーや彼を民族的サディズムの頂点と見なして、マゾヒズム的に従っている人にとっては、矛盾ではない。自然界の適者生存の法則は、彼らドイツ民族が、サディズム的な世界支配を達成するよう定めているからである。

自己否定と犠牲の哲学（マゾヒズム）

既に述べたように、ナチズムの信奉者たちは、他者に対してはサディズム的な残虐さを見せる一方で、ヒトラーを頂点とする「指導者」たちに対しては、マゾヒズム的に無防備になる。後者の側面から見ると、ナチズムはむしろ、自己否定と犠牲の思想である。ナチズムの支配の下で大衆は、おまえの存在は無意味だと言い聞かせられ続け、それを内面化する。つまり、心理的に自己否定させられる。無価値な自分の人生に意味を与えてくれる強い者に支配されることを渇望するようになる。

個人を犠牲にし、個人を一片の塵、一個の原子に貶めることは、ヒトラーによれば、人間の個人的な意見や利益や幸福を主張する権利を否定することを意味する。この否定は「個人が自らの個人的な意見や利益の主張を否定する」政治的組織の本質である。ヒトラーは「非利己性」を賞賛し、「人々は自らの幸福を追求することにおいて、ますます天国から地獄へ墜落していく」と教える。自己を主張しないように個人を教育することが教育の目標である。既に学童は「正当に叱責された時に沈黙するだけでなく、必要な場合には不正をも黙って耐えることを学ばねばならない」(二五五頁)。

共同体的な絆を失って、「自由」であることを強いられ、それが重荷になっていた人たちに対して、ヒトラーは、徹底して自己の権利を否定するよう説いたわけである。現代人にとっては、政治とは、人々が協力し合って幸福追求するための仕組みであり、人々が不安を感じるとすれば、政治が十分に機能していないからだ、と考えるのが当たり前になっている。

ワイマール共和国は、各人の幸福追求を、社会権という形でサポートすることを理念として掲げる国家である。ヒトラーはそうした近代の自由民主主義のそれまでの流れとは真逆の考え方を示したわけである。自分独自の幸福、自分の利益を追求するから苦しくなる。むしろ「非利己性 Uneigennützigkeit」に徹することで、解放されるのである。

ヒトラーは彼の自己否定と犠牲の哲学が、どのような幸福も許されないような経済状態にあるひとたちにとって、おあつらえ向きであることをはっきりと理解している。彼はあらゆる個人に、個人的幸福を可能にするような社会的秩序を実現することを欲していない。彼は大衆に彼の自己滅却の福音を信じさせるために、大衆の窮乏を利用しようとしている。彼は極めて率直に「あまりに貧乏であるために、自分たちの個人的生活が世界の最高の運命となることのできないような人たちの大軍を、私たちは味方にしている…」と言明する（二五六頁）。

現代人である私たちの常識では、窮乏していればいるほど、大衆は幸福な未来を約束してくれる指導者にこそ従うように思える。ただでさえ苦しいのに、自己を完全に放棄しろ、という無理な要求を突き付けてくる指導者にどうして従う気になるのか、不思議である。嘘でもいいから、各人がもっと安楽になれる未来を示したほうがいいのではないか。何かおいしいご褒美を約束したほうがいいのではないか。

しかし見方を変えると、最初から、自己放棄を求めることにはそれなりの合理性がある。甘い約束をして政権を取ったとしても、それが実現できなかったら、有権者の激しい怒りを買う。ほんの少しは公約を実現できたとしても、次はもっと大きな利益を与えてくれないと満足しなくなる。

ドイツ国家が、戦勝国が主導する国際政治と、大恐慌によって大きな制約を受けている現状では、それほど大きな利益をすぐにもたらすことはできない。安易な約束は危険である。そのことを、大衆も薄々分かっている。だからこそ、彼らは絶望的な心理状態になっている。

だったら、徹底的に自己の利益を放棄して、無になってしまえ、自己への固執から解放されて楽になれ、という逆説的な教えのほうが彼らの心に響くかもしれない。

それは、ある意味、キリスト教でいう「回心」、仏教でいう「悟り」の境地のようなものである。（自分自身が普通の意味で〝幸福〟になれる）ユートピア的な未来を思い描くことができず、本当に行き詰まっていると感じている人にとっては、今までとは逆の考え方のほうが、刺激的に見える。先に、ドラッカーとフロムの全体主義論を比較する文脈で言及した、「非合理ゆえに我信ず」の原理である。

ドイツには〝幸い〟なことに、自己を無化することで、救いへの最後の可能性を見ようとする、プロテスタンティズム的な思考の伝統があった。ヒトラーは、プロテスタンティズム的な思考回路を利用することができたのである。

社会心理学的な視点から見れば、現実社会で希望を持ちながら生きるのが困難になり、むき出しの「死への欲動」（自他に対する「破壊衝動」）に支配されつつあった人たちの、「マゾヒズム」的な心理に直接的に働きかける、ということである。

資本主義の繁栄の原動力でもあったプロテスタンティズム的な思考に内在していた「マ

ゾヒズム」を、ヒトラーは自らの政治的メッセージに取り入れ、ナチズムの倫理――民族のための徹底した自己否定と犠牲――に仕立てたのである。

プロテスタンティズムに関係付けて説明すると、日本とは縁遠い話のように聞こえるが、自己滅却(self-annihilation)――直訳すると、自己無化――によって、大いなるもの、神仏、あるいは共同体と一体化することで救われる、という思想が戦前の日本と無縁ではなかったことは言うまでもないだろう――西田哲学に見られる「絶対無」の思想と、戦前の日本の国家思想の関係については、廣松渉『〈近代の超克〉論』(講談社学術文庫)等を参照。

では、マゾヒスト的な思考に身を委ねる大衆やナチス党員の頂点に立つ「指導者」であるヒトラー自身は、どうなのか? 彼は誰かに対してマゾヒズム的なポジションを取っているのか?

フロムは、彼が神、運命、必然、歴史、自然の定めをマゾヒズム的に受け入れる姿勢を示していることを指摘する。『我が闘争』の中で彼はしばしば、自分の出生に関する運命や、ドイツ民族に対する永遠の摂理について言及し、それらが逆らいがたいものであるとコメントしている。ヒトラーが最もマゾヒズム的な服従の姿勢を見せているのは、「自然」に対してだという。彼は、人間が科学によって「自然」を征服できる、という近代人の考えは幻想だと主張する。

彼は、人間は自然を征服することができたという考えを嘲笑し、「『観念』以外には自由にできるなんの武器も持っていないのに」、自然の征服者になることができると信じている人々を嘲っている。彼は人間は「自然を支配しているのではなく、自然の法則と秘密を少しばかり知ることによって、この知識を持たない他の生物の主人としての地位に昇ったのである」と言う（二五七頁以下）。

私たちは、ヒトラーは、自分の力を絶対だと確信する傲慢な指導者だというイメージを抱きがちだが、それからすると、この姿勢は、意外なくらい謙虚である。ただ、これまで見てきたように、サディズムとマゾヒズムが常に表裏一体だとすれば、自らの民族を非合理的な命令によってサディスティックに支配するヒトラーが、自分よりも大きな力にマゾヒスティックに身を委ねるのは、ある意味、当然のことである。運命、神、自然に対してマゾヒスティックに受け身な態度を取ることで、ヒトラーは自らの内に「力」が流れ込み、それを、民を支配するために転用できる、と感じることができたのだろう。

近代の合理的な世界観、個人主義的な幸福観を否定し、各人の自己のアイデンティティをも解体しようとするサド・マゾヒズムのメカニズムがいったん発動すると、それに囚われた人たちは、具体的な利害を度外視するので、止めるのは極めて困難だ。

第六章

「フロムの希望」は：自由と民主主義

個性の幻影――感情の否定

サド・マゾヒズムの形で発動する権威主義的なイデオロギーは、第一次的な絆を失った人々の不安を埋め合わせるように作用する。

しかし、フロムに言わせると、それは神経症的な反応にすぎず、一時的なものである。それ自体としては、パーソナリティの幸福や成長には繋がらない。ただ彼は、サド・マゾヒズムの原因となる個人の孤独や無力感は、もっぱらネガティヴな現象ではなく、成長のきっかけにもなり得ると見ている。

個人の孤独と無力、彼の内に成長した潜在力を実現しようとする追求、近代産業の増大しつつある生産力という客観的事実、これらは動的な要因であって、より多くの自由と幸福とを追求する基礎となっている。共棲への逃避は、しばらくの間は苦痛を緩和することはできるが、苦痛を除去することはできない。人類の歴史は個性化の成長の歴史であり、また自由の増大していく歴史である（二六〇頁）。

フロムは、現代人が感じる孤独と無力感は、現状を変更する必要を人々に認識させ、個人や社会・経済の成長を促す契機になると見ているわけである。

ただ、実際に成長が促がされるためには、他者とサド・マゾヒズム的に癒着して個性を融解させる「共棲」状態、権威主義に逃げ込むのではなく、より強い「個性化」を目指すようにならねばならない。

権威主義に対抗して、個性化を守る思想は、ごく普通に考えると、近代的な自由民主主義だが、自由民主主義がきちんと機能していれば、全体主義は拡大しなかったはずである。ドイツやイタリアは、自由民主主義が定着していなかっただけだと考えることもできるが、フロムは、そのような見方をしない。近代民主主義は、諸個人を外的な束縛から解放する長期的な傾向の仕上げをしたが、個人主義の基盤となる「個性 individuality」の発達を助ける仕組みをつくることができなかった、むしろ、それを妨げてきたと主張する。

彼は特に、西欧諸国の教育の在り方に焦点を当てる。子供は、周囲の世界に対して一定の敵意を抱き、反抗的態度を示すが、教育は、彼らからできるだけ敵対的な反作用を取り除き、無害化するよう矯正する。

子供は教育の早い時期に、全く「自分のもの」でない感情を持つように教えられる。

特に他人を好むこと、無批判的に親しそうにすること、また微笑むことを教えられる。教育がその時に果たさなかったことは、通常後になって社会的圧力によって行われる。もしあなたが微笑んでいないならば、「感じのよいパーソナリティ」を持っていないと判断される——しかもウェイトレスであれ、外交員であれ、医者であれ、自分の務めを売ろうと望むならば、感じのよいパーソナリティを持つ必要がある。ただ社会的ピラミッドの底辺にあって、自分の肉体労働しか売るもののない人間と、ピラミッドの頂点にいる人間だけが、特に感じをよくする必要がない。親しさ、朗らかさ、微笑ましさを表現することが望まれる全ての事柄は、ちょうど電気のスウィッチのように、点けたり消したりできる機械的な反応となっている（二六九頁）。

「『自分のもの』でない感情を持つ」、というのは一見、禅問答のような謎めいた言い方だが、これは正確に言うと、「感情」そのものというより、むしろ、顔の表情や声色、言葉遣い、仕草などに表れる感情表現のことである。

自発的に生じる感情表現を抑制して、社会的に「感じがよい」と見なされる、周囲の人に対して敵対することなく、温和で友好的と見なされやすい表現をするよう教育で矯正され、かつ周囲の圧力を受けるわけである。

感情の演技がある程度の成功を収め、身に付いてくると、いつの間にか〝自分のもの〟になっていく。〝自分のもの〟だと思い込むようになる。

周知のように、これは現代日本でも、教育問題としてしばしば指摘されることである。少しだけ、フロムの指摘のその先を考えてみよう。

不自然な感情表現を強いられることが、子供にとってストレスになると、多くの評論家が言う。だから、学校教育の洗脳から解放されて、〝自然な感情〟を取り戻そう、と主張される。しかし、各人がいざ〝自然な感情〟を取り戻そうとすると、自分にとって〝本来の自然〟とは何かが分からなくなっていることに気付く。作りものの感情表現が、〝自分のもの〟であると長年自分に言い聞かせ、社会的圧力がかかっている状態が〝普通〟になっているからだ。

そこで、〝自然な感情の表現〟を教えるプロが現れ、文科省や教育委員会などの公的機関や教育学研究者等がそれを公認する。そうやって、押し付けられたマニュアル的で不自然な感情表現から解放されるためのマニュアルが作られていく、という事態が生じる。このパターンは、何年かおきに繰り返される。

また、サービス業や医者など顧客に与える印象が重要な職業に就いている人が、「感じのよいパーソナリティ pleasing personality」を演じるよう圧力を加えられている、というのも極めて現代的な問題である。

フロムがこの問題を指摘した一九四〇年代よりも、現代のほうが、感情表現の商品化が現代よりも遥かに多様化・洗練されているはずである。これはアメリカの社会学者のホックシールド（一九四〇－）が、マクドナルドなどの接客業の労働者に要求される感情表現を研究した著作『管理される心』（一九八三）で「感情労働emotional labor」と呼んだ問題である。接客業に限らず、現代人は職場での人間関係や就職・入学試験などで、〝社交的で感じがよく、なおかつ自発的に自分の意見を持ち、表現できるパーソナリティ〟として振る舞うことを強いられている。

ハンナ・アーレントは、近代市民社会において個人が主体的に振る舞える空間を構築するにはどうすればいいかを論じた、『革命について』（一九六三）で、人がむき出しの動物的な欲求に突き動かされることなく、人間らしく他者と言語を介して話し合い、共通の認識を持つには、公的な人格としての「仮面」をかぶる必要があると主張している――英語の〈person（人格）〉の語源であるラテン語の〈persona〉は、古代の演劇で役者がかぶる「仮面」を意味していた。自分の動物的な欲求は、家を中心とする私的領域の闇の中にとどめ、公的領域では、社会の善のために活動する「仮面＝人格」を演じ切らねばならない。これは一見、フロムとは正反対の議論のようにも見える。

ただし、アーレントの言う「仮面」は決して一律に国家権力などから与えられるものではない。他者とコミュニケーションする中で自ら形成するものである。自分によく合った「仮面」を身に付けることで、自分の言葉や演技＝活動（action）に説得力を与え、自分らしさを発揮することができるようになる。

あらゆる出来事や現象に対して、判で押したように同じ反応をする群衆は、むしろ、個性としての「仮面」を失った人たちの集合体である。学校や職場での「感じのよい」感情表現は、「仮面」の破壊を助長する、あるいは個性的な「人格」を表す「仮面」を、画一的で動物的な集団反応を誘発する、没個性化する〝仮面〟に置き換えていると見ることもできよう。

「仮面」の政治的効果を論じるアーレントと、変質した〝仮面〟の画一化作用に関心を寄せるフロムは、この点でも、相互補完関係にあるといえよう。

アーリー・ラッセル・ホックシールド（社会学者。他著作に『壁の向こうの住人たち』がある）

「死」の抑圧

フロムの現代的な「個性」論に話を戻そう。

フロムは現代社会では、偽の感情が押し付けられる一方で、いくつかの種類の本来の感情が抑圧されていると指摘する。フロイトが言うように、性的快楽は抑圧されている。そのため一部の人にとってかえって、性が、酒や麻薬と同じような脅迫的な性質を持つようになった。フロムが特に重視しているのは、「悲劇感 sense of tragedy」の禁止である。

この場合の「悲劇」とは、端的に言うと、人の死、あるいは、最終的にそれに繋がるような人生の悲劇的な側面である。個性化があまり進んでいない社会では、個人の存在の意義についての明確な観念はなく、死は生と根本的に異なったものとは考えられていなかった。死者たちも生者たちと同様に、共同体の一部として存在し続けた。

個性化が進むと、宗教が各人の死後の生、魂の在り方について信者たちが納得し、安心するような教義を示すようになる。古代エジプトの宗教は、生命の不滅を、ユダヤ教は個人の生命を超えた神の国の実現を、キリスト教は死後の生を説いた。

近代社会は、そうした「死」を否定し、それによって「生」の一つの重要な側面を否定することになった。

死や苦悩の自覚が、生への最も強力な刺激の一つとなり、人類の連帯性の基礎となり、また、歓喜や熱情に強さや深さを与える欠くことのできない経験となることが不可能になり、個人はそうした自覚を抑圧することを強いられている。しかしあらゆる抑圧について言えることだが、抑圧された要素は、視界から消えても存在することをやめはしない。こうして、死の恐怖は私たちの間で、非合法な存在として生きている。死の恐怖はそれを否定しようとする試みにもかかわらず依然として生きているが、抑圧されているために不毛な状態に留まっている。それは経験の平板さと、生活に浸透している焦燥の源になっているのである（二七一頁）。

「死の観念」を抑圧しようとしても、抑圧し切ることはできず、それが歪んだ形で現代人の精神を脅かしているというのは、精神分析の「抑圧されたものの回帰」論や「死の欲動」論に依拠しなくても十分に納得できるだろう。

どんなライフスタイルの人でも、自分もまたいつか「死」ぬということを完全に忘れることはできない。そのため私たちは意識を常に別のことに向けようとする。しかし、無理

マルティン・ハイデガー（哲学者。独自の存在論哲学を展開。主著に『存在と時間』がある）

に肝心なことから目を背けているので、大衆社会で生きる人々の日常は平板になり、そのことを自分でも分かっているがゆえに焦りが生じる。その焦りの極端な現れが、ここまで見てきたようなサド・マゾヒズム的な、他者と自己を苦しめ、破壊する行為であろう。

　そうやって、自己を超えた存在に自分の運命、死後の生を委ねることでしか、「死」から意識を逸らせることができないのかもしれない。

　こうした「死」から目を背けることが、一見、豊かな消費生活を営んでいるように見える、現代人のメンタリティにかなりの負の影響を与えていることは、フロムと同時代の多くの思想家が指摘していることである。

　二〇世紀に最も影響力のあった哲学者であるハイデガー（一八八九－一九七六）は、「死」から目を背けることと、大衆社会で非個性化・匿名化した人々が自らの「実存」（現実の生き方）をどのように方向付けていいか分からなくなり、絶えず「不安」を抱えていることに不可分の関係があることを指摘した——拙著『ハイデガー哲学入門』（講談社現代新書）等を参照。

消費社会を商品の記号性という視点から分析したことで有名なフランスの社会学者ボードリヤール（一九二九－二〇〇七）は『象徴交換と死』（一九七六）で、未開の社会では、死者と生者を結び付け、共同体を存続させる象徴的な儀礼が行われ、死が意義付けされていたと主張する。それに対し、現代の消費社会では、「生」をできる限り健康な状態のままで延長し、「死」を人々の視野から遠ざけるためのシステムが発達している。しかし、そうしたシステムの中で人々は「生」の喜びを享受するどころか、むしろ「死」の影に追い立てられている、という。

ジャン・ボードリヤール（哲学者、社会学者。主著に『消費社会の神話と構造』がある）

フロム自身は、アメリカ人が葬儀に法外な費用をかけていることを、「死」から目を背ける傾向の表れではないかと示唆している。

独創的思考の抑圧

フロムは更に、現代社会では「自発的な感情」と並んで、「独創的な思考 original thinking」も抑圧されていることを指摘する。

彼はいくつかの要因を挙げている：①両親の性行為や喧嘩など、子供に知られたくないことは徹底して隠し、質問されてもごまかす傾向 ②多くの事実を知っているほど真実の知識に近づくという前提の下、バラバラの情報を脈絡なしに教え込む学校教育 ③「真理」を形而上学的概念と見なし、「真理」探求を無意味と思わせる相対主義 ④心理的・経済的・政治的・道徳的な根本問題は、非常に複雑で「専門家」だけが理解できると思わせる傾向と、そこから生じる懐疑主義と権威主義 ⑤世界で起きるあらゆる出来事には全体の文脈の中で理解すべき深い意味などなく、単に抽象的で量的な意味しかないと思わせるメディアの画一的な報道。

以上のような全てのことによって、私たちは自分の聞いていることに純粋に関係することができなくなる。私たちは興奮することがなくなり、私たちの感情や批判的な判断は妨害され、遂には世界に起こっている事柄に対する私たちの態度は、平板で無関心なものとなる。「自由」の名の下に生活はあらゆる構造を失うのである。それは多くの小さなピース（断片）から作られ、それぞれ互いに分離し、全体としての意味を全く欠いている。個人はちょうどパズルで遊ぶ子供のように、これらのピースを持ったままひとりぼっちにされる。しかし違っているのは、子供は家はどんなものであるか知っており、したがって彼が遊んでいる小さなピースにも家の諸部分を見つけ出すことができるのに対し、大人はその「断片」を手にしながら、「全体」の意味が分からないことである。彼は途方にくれ、不安になり、その小さな無意味な断片を見つめ続けるだけである（二七六頁以下）。

各人の関心が、構成を失って平板化し、断片化するというのは、言い換えれば、一貫した強い関心を持ち続けられなくなる、ということである。

これもまた、現代日本でもよく聞く話である。私たちは、何でも自分の好きなことに関心を持ってよい、関心の対象がどんどん変わってもいい、それが〝自由〟だと教えられながら育つ。そうした〝自由〟を享受することで、各人はいつか自分の〝真の関心〟を見いだすはず、と楽観的に想定されている。

しかし、高校や大学の卒業間近になっても、自分が本当は何をしたいのか分からないということがよくある。よく分からなくてもとにかく生きていくために、無理に何かに関心があることにして進路を決められる子はまだいいが、中には、世間に出回るいろいろなネガティヴ情報のせいで、自分はどんな職業にも適合しないのではないか、仮に職に就けてもすぐに不適応になってしまうのではないか、と不安になって何もできなくなる子もいる。

フロム流に分析すれば、それは若者たちが幼い時から、当たりさわりのない、断片化された情報にしか接してこなかったので、長期にわたって持続する「自分固有の関心」を持ちにくくなっているということだろう。断片的な興味はあっても、それを、人生を懸けて打ち込むほどのものにまとめ上げることができないわけである。

こうした「独創性」の欠如は、それを実行しようとする「意志」の欠如とも関係している。人々は自分が本当に「欲するwant」ものを知らない。自分が当面目指している目標が、自分が本当に欲しているものかどうか分からないので、なかなか本腰を入れられない。

取りあえずは、学校でいい成績を取ること、より多くの成功を収めて金を稼ぐこと、自動車を買ってあちこちに旅行する…といったことを目指すが、ふと立ち止まって考えると、それによって本当に自分は幸福になれるのか、その目標に到達した瞬間、それは自分が求めていたものではなかったことが判明するかもしれない、といった疑念が浮かんでくる。

そうした疑念に囚われ考え始めると、負の思考回路に陥り、疲労し、息苦しくなり、何に対してもやる気を出せなくなる。ほとんどの人はそうした煩わしい思考から逃避して、日常のルーティンの中で、気を紛らわせようとする。

外部から与えられる「自分のもの」

現代社会に生きる私たちは、自分が何を欲しているかは自分自身が一番よく知っていると教えられている。しかし、実際には、「欲すると予想されるもの what he is supposed to want」を「欲している」にすぎない。

多くの人は、外部から与えられたレディ・メイドの目標を取りあえず、「自分のもの」と思い込み、それに打ち込む（ポーズを取る）ことで、自分の人生をちゃんと生きていると思い込もうとする。何かの機会に挫折したり、ふとした拍子に上記のような疑問を抱かない限り、極めて不安定な「自分もの」幻想の中で生き続けることになる。

フロムは、私たちがそうした偽の「自分のもの」に取り憑かれやすくなった歴史的背景として、近代化の過程で「権威」が変質していったことを指摘する。

近代史が経過する内に、教会の権威は国家の権威に、国家の権威は良心の権威に交替し、現代において良心の権威は、同調の道具としての、常識や世論という匿名の権威に交替した。私たちは古い明らさまな形の権威を自分から解放したので、新しい権威の餌食となっていることに気が付かない。私たちは自ら意志する個人であるという幻想の下に生きる自動人形となっている。この幻想によって個人は自らの不安を意識しないですんでいる。しかし幻想が助けになるのはせいぜいこれだけだ。根本的には個人の自己は弱体化し、そのため彼は無力感と極度の不安を感ずる。彼は彼の住んでいる世界と純粋な関係性を失っている。そこでは人であれ、物であれ、全てが道具化している（二七九頁）。

これもまた、現代人にはピンときやすい指摘だろう。私たちは特定の人物や組織の「権威」には拒否感を覚えることが少なくないが、「常識」とか「世論」のような匿名のものに「従う」ことにはあまり違和感がない。特定の誰かの言葉ではないので、影響を受けているという自覚があまりないし、仮に「世論」や「常識」に従っているという自覚があっても、それは自らの判断や自由意思によると思いがちだ。

メディアが発展すると、そうした匿名の「権威」による支配が強化されていく。

そうやって、気付かないうちに自らのアイデンティティを喪失してしまった人は、疑惑を抱え、進んでいくべき方向を見失う。人生を歩んでいけなくなるのが怖いので、自分がしょっちゅう〝意見〟を変える匿名の「権威」に引きずり回されているだけかもしれないと薄々気付いていても、それに逆らうことができない。むしろ、余計に順応するしかない。悪循環の中で匿名の権威の支配を次第に強く受けるようになる。

そこに、個人の人生における挫折や、政治・経済的な破局が加わってくると、これまで見てきたように、自由を投げ捨てて、(目に見える、それゆえ、より力強く見える)「権威」に従ってもいい、という気分になる。

フロムの見方では、近代社会は、目に見える権威は除去する一方で、自由に耐えられる独創的な個人が生まれやすい環境はつくってこなかった。それどころか、教育や都市環境、文化的消費、メディア等の面で、匿名の権威に従い、アイデンティティを見失いやすい傾向を育ててきたのである。そう考えると、危機感が頂点に達した時、ヒトラーのような存在が登場してくるのは、それほど不思議ではない。

「積極的自由」の課題

こうした権威主義の分析を進めた後、フロムは今一度、「消極的自由／積極的自由」をめぐる問題に立ち返っている。絆から解き放たれ、無力感と不安に苦しめられる近代的な個人にとって、世界の統一性は崩壊し、進むべき方向性は見いだせない。そのため、彼らは「自己」の分裂状態を忘れ、はかない安定を得るために、消極的自由を放棄して、第一次的な絆とは異なる、新たな束縛を得ようとする。

そこでフロムは以下の問いを発する。

> 私たちの分析の結論は、自由は不可避的に循環して、必ずや新しい依存に導くということになるのだろうか。全て第一次的な絆から自由であることは、個人を非常に孤独な孤立したものとするがゆえに、彼は不可避的に新しい束縛に逃避しなければならなくなるものだろうか。独立と自由は孤立と恐怖と同じことだろうか。あるいは、個人が独立した自己として存在しながら、しかも孤立しておらず、世界や他の人間や自然と結び合っているような、積極的な自由の状態があるのだろうか（二八三頁）。

この問いかけから当然予想されるように、フロムは近代人が「積極的自由」を発展させ、自己実現できる可能性があると信じている――あるいは、信じているという姿勢を示している。

「積極的自由」とは、各人の人格に本来備わっているはずの知的・感情的な諸能力――先に見たように、近代社会の様々な制度によって抑圧されている能力――を積極的に表現することである。別の言い方をすれば、孤独や無力感に苛まれ、脅迫的に行為するのではなく、「自発的」に行為できるようになることである。

先に見たように、近代社会では、匿名の権威による支配が至るところに浸透しているので、本当の「自発性」を発揮しにくいが、自発性を示している人が皆無であるわけではない。それまでに普通の人が経験したことがない表現形式を見いだすことを芸術家や、今までになかった政治体制を生み出そうとする革命家がそうである――無論、それは成功した場合の話であり、本当に〝新しいもの〟をつくり出すことに失敗し続ければ、ただのヘンな人、場合によっては、〝病人〟と見なされてしまう。

あるいは、まだ教育によって感化されていない小さな子供は、「自分のもの」を感じ、それを実行しようとする「自発性 spontaneity」を示す。

「自発性」が「積極的自由」のカギになるというのは、単なる言葉遊び、言い換えではないかとも思えるが、フロムは、「自発性」は個別の行為の遂行に際して発揮されるものと考えているようである。

それに対し、「積極的自由」は、その人間の社会的生活や関係性全般に関わる概念であり、その人の生活の中心的領域で、「自発性」が発揮される条件が整っていて、実際にそうなっている状態を指しているようである。

フロムに言わせれば、「自発的な活動」に従事することは、自己の統一性を犠牲にすることなく、孤独の恐怖を克服することに繋がる。

つまり、ごく小さなことでも、匿名の権威のようなものに振り回されることなく、自発的に立てた目標を追求し続けたという体験があれば、たとえ結果が伴わなくとも、自らの創造性を発揮し、（共棲や従属ではない）積極的な関係を築けるという自信を持つことができるようになる。

私たちの多くは、自発性を発揮したという経験が乏しく、積極的な関係を知らない。相手を手段として利用する、互いの人格を認めて相互に高め合うという本来の「愛」の関係を知らない。自らの本性に合った創造的な「仕事」によって社会に貢献したり、共同体の政治的生活に参加したという経験もない。

だから、積極的な意味で、自由な生活を思い描けない。他者との緊張関係や腹の探り合い、騙し合いを強いる消極的自由だけが目につく。だから、〝自由〟から逃げたくなるのである。「自発性」を発揮して、何かをやろうとした経験を積み重ねることで、自分の存在意義に対する懐疑を克服し、積極的な関係を持つことが可能であるという確信を徐々に獲得していかねばならない。

「積極的自由」に対するフロムの〝ポジティヴ〟な見通しは、十数年後にバーリンによって表明される「積極的自由」を危険視する議論と真逆のように見える。ただ、バーリンも「積極的自由」が不要だとか幻想でしかないなどと断定しているわけではない。バーリンが懸念したのは、「積極的自由」が、ヒトラーやスターリンのような指導者によって、「君の本来の自由は〇〇だ」、と思い込ませるプロパガンダのため悪用される危険が高いということだ。

悪用されるのは、人々が「〜からの自由」という消極的な形を取る自由だけでなく、積極的自由を求めているものの、実際には、積極的自由が実現した状態を知らないからだ。堕落以前の楽園のような漠然としたものをイメージしているだけだと、簡単につけ込まれる。バーリンは、「積極的自由」を当面封印しようとするが、フロムは、「積極的自由」の社会が実現するための条件を考えようとする。

真の理想と仮想の理想

フロムは「積極的自由」の社会を成り立たせる諸原理として、個人の独自性の肯定と、自由と幸福の探求における平等と並んで、バーリンの問題意識にも通じる第三の原理も挙げている。

積極的自由はまた次のような原理を含んでいる。すなわちこの独自な個人的自己に優越した力は存在せず、人間はその生活の中心であり目的であるということ、また人間の個性の成長と実現とは目的それ自体で、たとえそれより大きな尊厳を持つように思われる目標にも、決して従属しないということである（二九一頁）。

個人を超えた目的、例えば、民族とか教団、プロレタリアートの目的が、個人の目的を超えるより価値あるものであり、それに従属・同一化することによってのみ、〝真の自由＝解放〟が得られる、というような思想は危険である。〝自由〟の名の下での個人の自由の抹消が可能になる。

ナチスやイタリアのファシズム、ソ連のスターリン主義はまさにそれをやってのけたし、現在でも、そういう狂信的な政党や宗教は少なくない。フロムは、個人の自己を超えたものを主張するかどうかを、基準にすべきだとしているのである。

無論、そうした偽の〝自由思想〟が蔓延るのには、それなりの理由がある。自発性を発揮することができないまま生きてきて、自信を失った人々、権威を求めている人々は、個人の自己を超えたものを示してくれないと、高貴な思想だと感じられなくなっているのである。

そうした人々は、絶対的なもの（に見えるもの）を求めるわけだが、フロムに言わせれば、〝自分〟の利益を犠牲にするよう要求する思想こそ、各人の心理状態や生き方によって左右される相対主義である。そうした観点からフロムは、「真の理想 genuine ideals」と、「仮想の理想 fictitious ideals」を区別する。

それはちょうど真実と虚偽の違いと同じ様な根本的な違いである。真の理想には全て一つの共通したものがある。すなわちそれらは、まだ実現されていないとしても、個人の成長と幸福という目的にとって望ましいものを求めようとする欲望を表現している。この目的に何が役立つかは、私たちは必ずしも分かっていないかもしれない。また個々の理想が、人間の発展に対してどのような機能を持つか、意見が一致していないことがあるかもしれない。しかしだからといって、私たちは何が生命を促進し、何が妨害するかを知ることができないと主張する相対主義を承認することにはならない。（…）私たちは貧困、脅迫、孤独が生命に反し、自由に役立ち、自分自身であることの勇気と強さを促進する全てのことが、生命のためになることを知っている。人間にとって、何が善で、何が悪であるかは、形而上学の問題ではなく、人間本性の分析と、ある条件がもたらす結果に基づいて答え得る経験的な問題である（二九二頁）。

ここでフロムが示している基準はシンプルである。個々の人間の生の発展を促すと経験的・常識的に知られていることを基準にしているわけである。

逆に言うと、言葉の上で各人の幸福のためと称していても、何らかの形而上学的な理屈でごまかして、実際には個人に大きな苦痛を負わせるような〝理想〟は、本当の理想ではない。素朴であるが、意外と現代的な発想かもしれない。

近年、善の本質を個人の快楽、悪のそれを個人の苦痛と見なしたうえで、「最大多数の最大幸福」を目指すベンサム（一七四八―一八三二）の功利主義思想が再び注目を集めているが、プロテスタントのサド・マゾヒズム体質について徹底して批判的に考察したフロムも、功利主義者のようにシンプルな指標を求めていたのである。

当然、フロムは、人々を苦痛や従属の経験に引き込む「マゾヒズム」的な様相を呈する〝理想〟を「真の理想」とは認めない。

既に見たように、フロムにとって、「サド・マゾヒズム」は真の「愛」の関係が達成できなかったことによって生じる、歪んだ「共棲」的な関係、お互いの個性を損なう関係だ。マゾヒズム的な快楽、他者から支配され痛めつけられることによる快楽を求める人も存在するが、その場合の快楽は、「病理的倒錯 pathological perversion」の帰結である。たとえ、本人たちが望んだとしても、そのまま認めるわけにはいかない。

「快楽」をもっぱら主観的な経験に求める純粋なベンサム主義者と違って、フロムは、経験の「客観的な意味 objective meaning」があると考える。普通の人の目から見て、自己の成長、自由、幸福を促進するのでない理想は、幸福に繋がらない。快楽経験を客観的に評価することが可能だと素朴に主張する点で、彼は通常のフロイト学派やポスト近代的な欲望論とは大きく異なる――恐らく、フロムは性的快楽の獲得の一形態としての狭義の「マゾヒズム」は容認するが、それをその人の生き方全般に適用することは病理と考えていたのだろう。

こうした考察から、「犠牲」に対するフロムのスタンスも導き出されてくる。彼は、「犠牲sacrifice」を一切認めないわけではない。

犠牲には全く異なった二つのタイプがある。私たちの物質的自己の欲求と精神的自己の目標が葛藤することがあること、すなわち、私たちの精神的自己の統一性を確保するために、身体的自己を時として犠牲にしなければならないことが実際にあり得るのは、人生の悲劇的事実の一つである。このような犠牲は決してその悲劇的性質を失わないだろう。死は決して甘美なものではない、たとえ最高の理想のために耐え忍ぶ場合でもそうである。死は言語に絶して辛いものであるが、それでも私たちの個性の最高の肯定であり得る。このような犠牲はファシズムが教える「犠牲」とは根本的に異なっている。ファシズムにあっては、犠牲は人間が自己を確保するために払わねばならない最高の代償ではなく、目標それ自体である。このマゾヒズム的な犠牲は、生の達成をまさに生の否定、自己の無化の内に見ている（二九四頁）。

抽象的でやや分かりにくいが、ある個人が自らの精神的自己にとっての有意義な目的＝終わり（end）を自発的に立て、それを達成するためには、肉体を犠牲にし、場合によっては、死の苦痛も耐えることを決定したのだとすれば、それは肯定できる「犠牲」だとフロムは考えるのだろう。

無論、そうした〝自発性〟が権威主義的イデオロギーによって操作される可能性は排除できないが、フロムは、自己否定それ自体を目的にすること、民族とか国家という大いなる〝自己〟に対して個人の自己を無価値と見なし、後者を前者に捧げることを奨励しているかどうかを、一つの指標にしようとしているようである。

この指標を立てても、宗教やラディカルな社会運動、自己啓発サークル、ブラック企業などの中には、巧みな心理操作によって、自己無化を生きがいに見せるものがありそうだが、民族や国家、階級、人類のような抽象的な全体のための犠牲を説き、それを強制する国家規模の集団の偽の理想を見分ける役には立つだろう――第二次世界大戦中のフロムに関心があったのは、そうした全体主義の理想と、真の個人主義の区別であって、それ以上のことを彼に求めても仕方ないだろう。

これらに加えて、真の理想を考えるうえで、もう一つ重要なポイントとして、積極的自由が、自己を超える「権威」を認めないものだとすると、それは「アナーキー」に繋がらないか、ということがある。

無論、答えは「アナーキー」の定義による。「アナーキー」が、個人はいかなる権威も一切認めないことを意味するとすれば、フロムの擁護する［積極的自由－真の理想］は、「アナーキー」ではない。「積極的自由」はむしろ、「合理的権威」を必要とする。

既に見たように、「合理的権威」とは師弟関係や親子関係のように、下位の者が上位の者をモデルにして自己形成するためのものであり、自己形成が進むに従って次第に両者の距離はなくなっていく。それは、下位の者に無条件の自己犠牲を要求するような非合理なものではない。そして、全ての人が「積極的自由」を享受できるようになれば、各自の独立志向が、危険な破壊傾向に繋がることはない、という。

人々を「積極的自由」を実現できる関係へと正しく導いてくれる「合理的権威」が見いだされるのであれば、確かに成り立つ話である。問題は、誰もが孤独と無力感に苛まれている現状で、どうやってそのような「権威」を見いだせるのかである。それが長期的に見て、理不尽な犠牲を要求することがないと、どうやって確認したらいいのか？

民主的社会の条件

『自由からの逃走』は、社会心理学的な側面から近代的な自由の脆弱《ぜいじゃく》さを分析した著作であるが、この著作の最後でフロムは、「積極的自由」が実現されるための社会・経済的変革の方向性を示している。

彼は、人民全体の選挙による代議制民主主義や市民たちの（自由権的）権利保障などの近代民主主義のそれまでの基本的成果に加えて、民主主義の新しい原理も守っていかねばならないと提案する。

新しい原理とは、「人々が失業や飢餓の恐怖によって服従へと脅かされたり、人間の誇りを失ったりすることがあってはならない」というものである。これは日本の憲法で社会的生存権と呼ばれるものであろう。

フランクリン・ルーズヴェルト（民主党出身の第32代アメリカ合衆国大統領）

ナチス政権が誕生する以前のドイツのワイマール憲法では、労働者の権利や社会保障を受ける権利が盛り込まれていたし、アメリカのフランクリン・ルーズヴェルト（一八八二－一九四五）は、一九四一年一月の一般教書演説で、「言論・表現の自由」「信教の自由」と並んで、「欠乏からの自由」と「恐怖からの自由」を挙げている。「恐怖からの自由」とは、軍縮による戦争の恐怖からの自由、「欠乏からの自由」は、社会的生存権に相当するものである。

失業や飢餓からの解放をフロムが重視するのは、これらが個人の自由、創意（initiative）、自発性を培い、「積極的自由」の実現に貢献するからである。彼はこの方面での民主主義の成果をより充実させるために、「計画経済」が必要であるという。少数の富裕者による恣意的な支配を排除して、社会全体の力を統合して、社会的諸問題を合理的に解決し、個人に創意や自発性を発展させる機会を与えるには、経済全体を計画化することが必要だという。「計画経済」を目指すフロムは、社会主義者である。

しかし彼は、国民社会主義を自称したナチス・ドイツやソ連の経済の実体は承知していた。生産手段を名目的に社会化しただけで、強力な官僚制によって人民が支配されるのであれば、自由や個人主義の発展は妨害される。それどころか〝社会主義〟の名の下での人民の抑圧さえ行われるだろう。

各個人が経済の運営に積極的に参加できるようにしなければならない。そのためには個人や小さな経済単位の活躍の余地を拡大するには分権が必要だが、それは中央集権化と矛盾する。「上からの計画」と「下からの積極的参加」が融合して、下から上へのフィードバックがなければ、「計画経済」は新しい民衆操縦に堕してしまう。これをどう解決するかについてフロムは具体的に述べていない。自らの真の利益を見いだす人々の能力を信頼すれば、必ず答えは見つかるという希望を述べているだけである。

この問題と関連して、彼は、資本主義社会における「個人的創意」の発展の限界にも言及している。資本主義経済は、「個人的創意」をうまく活用することで発展してきた。個人が自由に活動できる領域を広げること（＝消極的自由）で、合理的な経済的組織が生まれ、経済に関わる人間の能力を発展させた。

しかしそれは裏を返せば、「個人的創意」が経済的な目的に従属させられること、そして、人間の様々な能力のうち、自由競争で勝ち残ることに役に立つ、（一度立てた目標を一貫して追求し続ける）意志と（最も効用が高い目標を立てる）合理性だけを発達させるように促される。人間性を形作る他の能力は軽視される。

しかも、巨大化した現代の経済的組織の中で、「個人的創意」を働かせられるのは、ごく少数の競争に勝ち残ったエリートに限定されつつある。そのため、既に見たように、多くの人々が、自分を機械の（いつでも交換可能な）歯車でしかないように感じ、孤独や無力感を抱き、力を与えてくれそうな〝大いなるもの〟に憧れる。

そうした疎外感を打破するためにも、「個人的創意」を働かせる余地の大きくなる分権化が必要なのである――同じような観点からドラッカーは、企業における分権化構造を推奨している（拙著『思想家ドラッカーを読む』参照）。

全体の合理的計画と具体的な職場における自治を両立させるような経済構造を現実化することが、人々に、（犠牲を要求する全体主義的な権威ではなく）「積極的自由」に対する確信を抱かせるカギになる。

終章

「フロムの現代性と限界」を考える

それでも生きるということ

ここまで見てきたように、フロムの見方では、西欧近代の自由主義が、封建的な絆を解体し、「消極的自由」の制度的な実現にはある程度成功したものの、その反面、人々を心理的に追い詰め、自由よりも共棲や権威への服従を選ぶに至らしめてきた。

特にカルヴァン派の二重予定説は、信者たちを救われるかどうか不安にし、その不安を払拭すべく、不可視の神が自分に与えた（かもしれない）使命に全力で献身するメンタリティを培ってきた。

不確実であればあるほど、仮想の使命に懸けようとするプロテスタンティズム的なメンタリティは、人々を市場での競争に参加させ（＝賭け）、資本主義を発展させる原動力になった。資本主義が発展途上の間では、それでよかったかもしれない。しかし、国家の官僚機構と構造的に結び付いた巨大な企業が、労働の現場に限らず、社会生活全体を支配するに至った現代資本主義社会においては、各個人が競争に懸ける余地はあまり残されていない。競争して成功を収め、自らが「救われている」という感触を得られるのは、ごく少数のエリートだけであろう。

しかも、競争心を支えていたはずの、プロテスタントをはじめとする信仰の力はいつの間にかかなり弱体化していた。宗教は元々共同体的な生活と結び付いて生まれてきたものなので、信仰の個人化は、超国家的に組織され、ヨーロッパ全体の政治を操り、人々の日常の生活を細かく指図するカトリック教会の基盤を破壊しただけでなく、信仰的な生活を送ること自体を困難にしたのである。

そのため不安と孤独感に苛まれ、逃げ場のなくなった大衆は、目に見えない神ではなく、目に見える権威、自分たちを導いて目に見える成果を上げてくれる権威を求めるようになる。プロテスタンティズム＋資本主義とともに拡大した「(消極的)自由」はもはや重荷でしかない。

そうした権威主義への誘惑は、人が幼児期に通過し、大人になっても潜在的あるいは顕在的に身に付けているサド・マゾヒズム的な心理によって支えられる。第一次世界大戦の敗戦で、帝国が崩壊し、一気に国全体が窮乏化したドイツの国民は、ヒトラーを救世主とする疑似宗教的世界観を受け入れてしまった。

大衆が「自由」の重荷に耐えられなくなり、全ての問題を解決してくれる「権威」を求める傾向は、ドイツやイタリア、ロシアだけの問題ではない。社会の宗教・共同体的な構造の解体を代償として、近代化を成し遂げた全ての国家が潜在的に抱える問題である。

民主主義が定着しているように見えても、何かのショックによって、「権威」志向、サド・マゾヒズム的な体質が噴出しないとは限らない。排外主義とは無縁の、伝統と接続した安定した自由民主主義の国家の代表と見られていたアメリカや英国で近年起こっていることを見ると、全体主義は、近代化に乗り遅れ、民主主義に慣れていない国だけの問題ではないことが分かるだろう。

フランクフルト学派に属していたフロムは、当然、資本主義に批判的であり、人々の消費欲求をコントロールするに至った現代資本主義を危険視する。

しかし、他の左派論客、特にマルクス主義者が、資本主義をもっぱら資本家階級（ブルジョワジー）による、労働者階級によって生み出される価値の収奪のメカニズムと見なして、経済的な利害の観点から外的に批判してきたのに対し、フロムは資本主義社会に生きる人々がどのような心理状態にあるのか、思想史や精神分析、当時の社会学・経済学の知見を援用して迫っていく。

下層中産階級――マルクス主義の用語でいえば、「小市民（プチブル）」――を中心に、現代の大衆社会に生きる大半の人が抱える「自由ゆえの不安」を、経済状況と関係付けながら、それに還元しないような仕方で分析している。少なくとも資本家やそれと結託した一部の政治家や扇動家、偏狭な民族主義者、狂信的な宗教家など、一部の人のせいにすることはなかった。

「消極的自由」が人々の重荷になっているという洞察を得たフロムは、「積極的自由」への本格的な移行の必要性を主張する。市場を中心とする経済活動の自由（＝政府の市場への不干渉）を重視するハイエクなどの古典的自由主義者や、ソ連やナチスによる〃積極的自由〃の濫用を歴史的教訓にしようとしたバーリンなどとは違って、フロムはあくまでも、社会全体として「積極的自由」を目指すべきであり、そのための制度を考えるよう読者に促している。彼の発想は、ポジティヴ（積極的）である。

フリードリヒ・ハイエク（経済学者、20世紀を代表する自由主義の思想家）

ただ、「積極的自由」が、各人に現在の惨めな「自己」を否定し、「権威」が象徴するより〃大きな自己〃と同化するよう強いる、危険なイデオロギーの温床になりやすいことを知っていたフロムは、単なるオプティミストではなかった。
彼は、個人が抱える孤独と無力感を解消するための社会全体の合理的組織化と、個人が自発的に他者との関係を築き、自発性を発揮しやすい分権化を組み合わせることで、自由ゆえの不安と全体主義の誘惑の両極に陥らないようにすることができると考えた。

その後の著作でも彼は、民主的な社会主義の可能性を追究し続けた。『正気の社会』(一九五五)では、資本主義と社会主義双方の弱点に関する経済学的分析や、産業心理学の研究成果、対等な立場の労働者たちによる「労働共同体 Community of Work」の成功例などを参照しながら、自主独立的な生産単位を形成することを提案している。所得の平等ではなく、人間としての尊厳ある生き方(a dignified human existence)を可能にする最低限の所得を保証すべきだと提案する。各人が自由で責任ある行為主体(a free and responsible agent)になるには、飢餓の脅威をなくすことが必要だ。逆に言うと、そうした最低限が充足されれば、人々は嫌々ながら労働するのではなく、自発的に労働するようになる。労働に限らず、人間の対人関係における自由の領域が増大するはずだという。

論文「ヒューマニズム的社会主義」(一九六〇)では、自らの目指す分権化された生産共同体から構成される社会を、社会主義政党が目指すべきそれと同一視したうえで、自らも所属するSP‐SDF(社会党・社会民主連合)の活動・研究方針について、具体的な提言をしている。

『希望の革命』(一九六八)では、少数の専門家によって機械的に管理されている現代の生産システムに労働者が参加する仕組みをどう組み込んだらいいか、消費者が自らのライフスタイルを変え、生産に影響を与えられるようになるにはどうすればいいかを検討している。労働と消費の両面を含む生活全般の改革のため、少人数で討議して、その結論を表明し、自ら実践する「国民評議会」「クラブ」「グループ」など、大小のフォーラムを結成することを提案している。

『生きるということ』(一九七六)では、それまでの内容に加えて、女性の家父長制からの解放、最高の知識を結集して問題解決に当たる「最高文化評議会」の設立、効果的な情報伝播体制の確立、科学研究の産業からの独立なども盛り込んでいる。

これらの考察においてフロムが描いている、「積極的自由」を実現する社会のイメージは一貫している。各人の自発性が活かされる適度な規模の生産・生活・政治のユニットをつくり出すということである。同じような小共同体－アソシエーション論は、一九世紀から、考えようによっては古代ギリシアからあったが、経済的な効率性や平等だけでなく、資本主義社会に生きる人々が抱える不安の本質の分析に基づいて、こうした構想を新たに意義付けし、産業心理学的な知見を組み込もうとしたことは注目すべきだろう。

言うまでもないことだが、そうした小共同体の構想の中には限られた地域において成功を収めたものはそれなりにあるが、それが国家規模にまで拡大し、権威主義とは無縁の安定した社会を築いた、という例は皆無と言っていいだろう。

旧ユーゴスラヴィアでは、企業ごとの自主管理を最大限尊重する経済運営が実践され、一時期、ソ連型ではない社会主義のモデルとして注目されたが、九〇年代以降、ユーゴスラヴィアがどのように解体し、どういう事態が起こったのかは周知のことだろう。

国家レベルで「積極的自由」を定着させるには、経済の効率的運営、他国からの干渉の排除、ナショナリズムや宗教的原理主義の抑制など、フロムが明示的に論じていなかった多くのマクロな問題を視野に入れねばならないだろう。社会心理学者である彼に過度に期待しても仕方ないだろう。

ただ、ここまで何度か触れたように、現代社会の抱えるいくつかの重要なテーマについては、フロムに学ぶべきことは多々ある。

アメリカ人はどうして、トランプ大統領のように、あまり根拠の分からない〝決断〟をし、〝敵〟とはまともに対話しようとしないように見える政治家を信奉するのか？

その傾向が世界中に広がっているのはどうしてか？　ブラック企業による「やりがい搾取」のような現象はどうして起こるのか？

ネット上で匿名クラスターをつくって、〝カリスマ〟を無条件に賛美したり、〝敵〟を集中攻撃して炎上騒ぎを起こすことに一日の大半を費やしている人は、何が楽しいのか？

これらの問いに、無理に簡単に答えるとすれば、孤独と不安が蔓延しているから、苦しくて、どこかに救いを求めている、ということになるだろうが、政治的民主化と非合理的な社会慣習の解体が進み、高度の科学技術によって人間の能力やコミュニケーション・ネットワークが拡張し続けている現代社会で、孤独と不安を抱える人がどんどん増えているのは何故か？　どういう環境がその傾向を助長しているのか？　それこそが、『自由からの逃走』をはじめとする、近代人の心理を論じた、『自分自身としての人間』（一九四七：邦題『人間における自由』）、『人間の心』（一九六四：邦題『悪について』）など、一連の著作でフロムが探求したことである。

彼のテクストを読んだからといって、一挙に問題解決できる秘策が見つかるわけではないが、自分は何を苦しがっているのか、どうなったら自由だと感じられるのかを考えるうえで様々なヒントが与えられる。

あとがき――コロナ後の社会を生きる

緊急事態宣言が解除されて十日以上経った。宣言が解除されたが、街の雰囲気はなかなか元に戻らない。マスクをしている人が圧倒的に多く、人通りが以前と比べてかなり少ないということに加えて、「ソーシャル・ディスタンス」が強調されているせいで、他人との間に意識的に距離をあけようとする人が多いので、金沢のような地方都市では、「雑踏」らしきものを見かけない。

「雑踏」が嫌いで、バスやレジ前の行列でちゃんと並ばない人がいるとすぐにイライラする私としては、ある意味、気持ちがいいのだが、元々結構粗雑なはずの街の住人たちが、〝礼儀正しく距離を取る〟ことを強いられている状況は無気味な感じがする。何となく、他人の目を気にし合っているような雰囲気がある。

缶コーヒーを飲むためにマスクを下げると、何か申し訳ないことをしているような感じがする――そう感じる私自身が、やや自意識過剰になっているのかもしれない。

金沢大学のキャンパスは市街地から離れているので、通常だと、夕方や土・日に、スケートボードや一輪車を乗り回して、はしゃぐ連中がやって来る。駐車場からは、暴走族らしいのが騒いでいるのが聞こえる。西欧人の留学生がフリースビーをやっていることもある。私はそういうのが許せない性分なので、見かけるたびに叱ることにする。宣言が出されたのに伴って、教職員や学生のキャンパスの出入りが制限されたせいで、そういう連中がのさばるのではないかと心配していたが、宣言中もその後の自粛期間も、意外とキャンパスの中は静かだった。田舎ならではの現象かもしれないが、不良学生にも社会全体の自粛効果はある程度効いているのだろうか。

大学教員である私にとって、最もいやな発見は、(少なくとも文系の)大学生たちが驚くほどPCに慣れていないことである。普通の大人の多くは、今の子供たちは生まれた時からスマホなどの電子端末を使っているから、PCなどすぐに使いこなすようになる、と思っているだろうが、文系の学生を見ていると、そうではないことが分かる。高校までにWordやExcel、Power Pointなどを一応習ったけど、それ以降はいじったことがないので、もう一度教えてもらわないと使えないという学生が、金沢大学レベルだとかなりいる。

通常は、生協でPCを購入する際に受ける説明や、情報の処理の授業、他の学生との情報交換などで、何とかなるようなのだが、今回のように、大学に来ることができない状態だと、そうしたバックアップがない。ＰＣを購入した後、どうやっていじったらよいか分からないまま、一週間くらい放置して、仕方なく接続関係の業者に電話した、という学生が結構いたらしい。スマホで授業の登録だけはできたものの、大学から来るメールでの連絡を受信できず、連絡が途絶えてしまう、というようなことになる。そういう学生を相手にしているとイライラする。ＰＣが使えないんだからしょうがないじゃないか、という開き直った態度を取るからだ。「おまえは七十すぎの老人か！」、と叫びたくなる——ある知人から、それは七十すぎの人に失礼です、今の七十すぎの人は自分で適当にいじっているうちに、結構使えるようになりますと言われた。

ＰＣの問題に限らず、例年よりも、心配症になってどうでもいいようなことをいちいち聞いてくる学生が増えている。Zoomを介した会議形式の授業への参加者が少ないので、そんなことだと、今年は○○人くらい期末試験で不可になるかもしれない、というメッセージを登録者に一斉送信したら、心配して、「何回か欠席したのですが、私はやる気がないので不合格になるのでしょうか」、と聞いてきた学生が何人かいた。そんなこと聞いたって、仕方ないだろうと思うのだが、オンライン授業では場の雰囲気が分からないせいで、教員が本当に怒っているのか、自分をダメ学生としてマークしているのか、確認したくなるのだろう。教室で対面したからといって、教員の本音なぞ分かりようがないのだが、家に閉じこもったまま、リアルな大学を体験できないと、不安とともに働くヘンな連想がなかなか補正されないのだろう——大学の空間内のごく狭い範囲の友達同士で〝情報〟交換しているためか、逆に妄想がひどくなる場合もあるのだが。
入ってくる情報が限定されると、人間は弱くなる、という社会哲学で散々言われていることをあらためて実感した。普段からそんなに密な人間関係を持っていない人でも、本当にリアルな関係を遮断されると、自分がどのように存在しているのか分からなくなって、深い不安に囚われてしまうのかもしれない。ポスト・コロナの社会では、フロムやアーレントが懸念した大衆社会の不安が、インフラ面から実体化されるかもしれない。

二〇二〇年六月七日
普段より人けのない金沢大学角間キャンパスにて

［著者紹介］

仲正昌樹

なかまさ・まさき

1963年、広島県生まれ。東京大学総合文化研究科地域文化研究専攻博士課程修了（学術博士）。現在、金沢大学法学類教授。専門は、法哲学、政治思想史、ドイツ文学。古典を最も分かりやすく読み解くことで定評がある。また、近年は『Pure Nation』（あごうさとし構成・演出）でドラマトゥルクを担当し、自ら役者を演じるなど、現代思想の芸術への応用の試みにも関わっている。最近の主な著書に、『現代哲学の最前線』『悪と全体主義——ハンナ・アーレントから考える』（NHK出版新書）、『ヘーゲルを超えるヘーゲル』『ハイデガー哲学入門——『存在と時間』を読む』（講談社現代新書）、『現代思想の名著30』（ちくま新書）、『マルクス入門講義』『ドゥルーズ+ガタリ〈アンチ・オイディプス〉入門講義』『ハンナ・アーレント「人間の条件」入門講義』（作品社）、『思想家ドラッカーを読む——リベラルと保守のあいだで』（NTT出版）ほか多数。

人《ひと》はなぜ「自由《じゆう》」から逃走《とうそう》するのか

エーリヒ・フロムとともに考《かんが》える

2020年 9 月 5 日　初版第1刷発行
2022年 9 月25日　初版第2刷発行

著者
仲正昌樹《なかまさまさき》

発行者
小川真輔

編集者
鈴木康成

発行所
株式会社ベストセラーズ
〒112-0013 東京都文京区音羽1-15-15　シティ音羽2階
電話　03-6304-1832(編集)　03-6304-1603(営業)

印刷所
錦明印刷

製本所
ナショナル製本

DTP
三協美術

装幀
竹内雄二

写真
アフロ、ゲッティイメージズ

ISBN978-4-584-13971-4 C0095